MW00417125

EL BARCO
DE VAPOR

Finis Mundi

Laura Gallego

PREMIO EL BARCO DE VAPOR 1998

Ilustraciones de Víctor García

LITERATURA**SM**•COM

Primera edición: mayo de 1999
Cuadragésima segunda edición: mayo de 2017

Gerencia editorial: Gabriel Brandariz
Coordinación editorial: Carolina Pérez
Coordinación gráfica: Lara Peces

© del texto: Laura Gallego, 1999
   www.lauragallego.com
© de las ilustraciones: Víctor García, 2015
© Ediciones SM, 2015
   Impresores, 2
   Parque Empresarial Prado del Espino
   28660 Boadilla del Monte (Madrid)
   www.grupo-sm.com

ATENCIÓN AL CLIENTE
Tel.: 902 121 323 / 912 080 403
e-mail: clientes@grupo-sm.com

ISBN: 978-84-675-7790-7
Depósito legal: M-36569-2014
Impreso en la UE / *Printed in EU*

Para mi familia,
por haberme apoyado siempre.
Para Gloria, por creer en mí.
Para mis amigos: el GALBA,
los miembros de la revista *Náyade*
y el resto de compañeros de Filología.
También, especialmente, para Nuria,
Stela, Arancha, Juanma y David.
Porque, de una forma o de otra,
siempre habéis estado ahí.
Gracias a todos por haber hecho
posible *Finis Mundi*.

LIBRO I:
EL EJE DEL PRESENTE

Año 997 d.C.
Mundus senescit

A CORO CON LOS SALVAJES GRITOS de los atacantes, las llamas que envolvían la abadía crepitaban ferozmente y se alzaban hacia un cielo sin luna, iluminando el bosque cercano. El techo del establo se derrumbó con estrépito, al igual que la bóveda de la iglesia recién saqueada. Las oscuras sombras que rodeaban el monasterio aullaron de nuevo y, unas a pie y otras a caballo, se alejaron hacia el pueblo que dormía aguardando la llegada del alba.

Oculta por los frondosos árboles, una figura corría por el bosque, jadeante, tropezando, buscando un refugio. Dio un traspié y cayó sobre la húmeda hierba. Rodó hasta un espeso matorral y se ocultó allí, sollozando. Solo cuando las voces se apagaron se atrevió, prudentemente escondido y sin asomarse demasiado, a volver la vista atrás para contemplar los restos de lo que había sido su hogar en los últimos años. Temblando, vio cómo el fuego se consumía lentamente.

Sintió que lo atenazaba el desaliento; pero, a pesar de su juventud, a pesar de su fragilidad, a pesar de su miedo, no dejó ni por un momento de estrechar contra su pecho un preciado códice que había logrado rescatar de las llamas.

En su mente seguía resonando una terrible frase: *mundi termino appropinquante...* Sus labios formaron las palabras de una plegaria, pero su garganta no emitió ningún sonido.

Mundi termino appropinquante...

* * *

En la plaza se había formado un pequeño grupo de gente que iba aumentando lentamente, atraído por una sólida y potente voz que recitaba un largo cantar. Sentado en los escalones de piedra de la iglesia, perdido en sus pensamientos, un jovencísimo monje parecía ser el único que no sentía interés por la historia que se relataba un poco más allá. Su hábito negro indicaba que pertenecía a uno de los muchos monasterios que la orden de Cluny tenía sembrados por toda Francia.

Una muchacha que pasaba se le quedó mirando y, compadecida, se detuvo junto a él.

–¿Qué te sucede, hermano? –preguntó–. Pareces preocupado.

El chico alzó la mirada y sonrió. Estaba pálido, y sus ropas no lograban disimular su extrema delgadez.

–¿Has oído hablar del monasterio de Saint Paul? –le preguntó a la aldeana.

Ella ladeó la cabeza, tratando de pensar.

–¿El que está junto a las montañas, cerca del bosque?

–Estaba, querrás decir. La semana pasada sufrimos un ataque. No dejaron piedra sobre piedra.

En el rostro de la joven se formó un rictus de rabia e indignación.

–Húngaros –dijo. Más bien escupió la palabra–. No sabía que habían llegado tan lejos. Nada detiene a esos salvajes.

El monje guardó silencio. La muchacha lo miró fijamente.

–¿Te has quedado sin hogar? No te preocupes. El abad de Saint Patrice te acogerá. ¿Es eso lo que te trae por aquí?

El monje negó con la cabeza y sonrió con cierta condescendencia.

–No; voy muy lejos. Busco un lugar llamado la Ciudad Dorada.

La muchacha se encogió de hombros.

–Nunca la he oído nombrar.

El monje no pareció sorprendido. No había esperado ni por un momento que ella lo supiera.

–Tú debes de haber leído muchísimos libros –añadió la aldeana, que seguramente no sabía leer–. ¿No sabes dónde está?

El muchacho desvió la mirada.

–No creo que sea algo que esté escrito en los libros –dijo.

–Entonces, pregúntale a él –replicó la chica señalando con el mentón al grupo del fondo de la plaza–. Es el juglar más famoso de toda Francia. Ha viajado por todo el mundo, y conoce muchísimas historias. –Le brillaban los ojos de admiración–. Si se trata de una leyenda, seguro que la sabe.

El monje no respondió. Para una muchacha humilde como ella, un juglar debía de ser todo un héroe. Él, por su parte, abrigaba bastantes dudas acerca de los conocimientos de un simple narrador de cuentos ambulante. Pero no dijo nada, ni siquiera cuando la chica se despidió deseándole suerte. Se limitó a dedicarle una sonrisa.

Se quedó inmóvil un rato, mientras la voz del juglar, relatando las hazañas de algún héroe carolingio, seguía resonando por la plaza.

La norma de su orden le advertía de los peligros de relacionarse con gente de aquella clase. Los juglares no solían ser tipos de fiar; contaban historias y recitaban poemas, pero también divulgaban canciones obscenas, estafaban y robaban si tenían ocasión. Eran, además, vagabundos, individuos errantes de dudosa moralidad.

Torció el gesto. Aquel podía ser el juglar más famoso de toda Francia, podía actuar en las cortes de los príncipes y tener a las muchachas encandiladas; pero seguía siendo un juglar.

Por otro lado, el secreto que él se había llevado consigo en su huida del monasterio era una carga demasiado pesada como para portarla solo. Y cualquier abad le diría lo que le había dicho su superior unas semanas atrás: «Olvídate de esas tonterías, jovencito. Ofenden a Dios».

Lo único que podía hacer era continuar él solo. Sin embargo, el mundo era grande, y no sabía por dónde empezar. Quizá debería encontrar a un caballero que lo escoltara; pero todos los caballeros tenían cosas mejores que hacer.

Oyó vítores y aplausos: el juglar había terminado su actuación, y agradecía los donativos que recogía un enorme perrazo que se paseaba entre el público con un platillo en la boca. El muchacho pudo vislumbrar al recitador entre la gente, porque era muy alto. Se trataba de un hombre joven, de rasgos afilados y mirada sagaz. Los cabellos castaños le enmarcaban el rostro y le caían sobre los hombros formando ondas. No parecía haberse afeitado en varios días.

El monje se sorprendió a sí mismo considerando seriamente la sugerencia de la aldeana. Después de meditarlo unos instantes, se encogió de hombros. «Bueno», se dijo, «este hombre está acostumbrado a contar historias extraordinarias. Una más no le sorprenderá».

Se levantó, resuelto a acercarse y preguntarle por la Ciudad Dorada. Se aproximó al juglar mientras este recogía sus cosas, llamaba al perro con un silbido y se cargaba su instrumento a la espalda.

Tres chicas le salieron al paso al narrador de historias, reprimiendo risitas y dándose codazos disimulados, en busca de una mirada, una sonrisa, un gesto amable de aquel hombre que sabía tantas cosas. Pero el juglar las despidió con una frase seca, y ellas se alejaron decepcionadas.

El monje lo observó con curiosidad. El hombre de las historias poseía una extraña calma y dignidad que lo hacían completamente diferente a otros juglares que entretenían a su público haciendo payasadas. Lo vio acariciar a su perro con una expresión seria y pensativa, y, seguidamente, alzar la mirada hacia él. Los ojos del juglar se clavaron en el monje y lo estudiaron de la cabeza a los pies. El muchacho se sintió molesto y enrojeció intensamente.

–¿Qué miras? –protestó.

–A ti –replicó el otro sin alterarse–. Hace rato que me estás observando. ¿Te parece mal que actúe tan cerca de la iglesia? Eres demasiado joven para meterte en asuntos que no te incumben. Además, tengo permiso del párroco.

El monje enrojeció aún más.

–No se trata de eso –dijo–. Me gustaría preguntarte algo. Dicen que has visitado muchos lugares y conoces gran cantidad de historias.

El hombre le dirigió una mirada inquisitiva.

–Tengo prisa, amigo. Pretendo llegar a Louviers antes del anochecer, así que no pienso recitarte un cantar entero. Ya he terminado mi trabajo aquí.

–Seré breve. ¿Sabes dónde está la Ciudad Dorada?

El juglar lo observó con curiosidad.

–Hay muchas ciudades doradas en muchas historias. Conozco varios sitios que podrían llamarse así.

El chico pareció desanimarse.

–Entiendo –dijo–. Gracias, de todas formas.

Se volvió para marcharse, pero el juglar se sintió intrigado.

–¿Para qué quieres saberlo? –le preguntó–. ¿Y por qué me preguntas a mí? Seguramente el abad de tu monasterio podrá informarte mejor que yo.

El monje dio media vuelta y lo miró con fijeza.

–Está muerto –dijo–. Todos están muertos.

El narrador de historias comprendió.

–Vienes de Saint Paul. He oído hablar de lo que pasó allí. No sabía que hubiera supervivientes.

El chico le dirigió una mirada inexpresiva.

–Pero debes seguir adelante –prosiguió el juglar–. Todos pasamos por un mal trago. Todos tenemos que madurar algún día. Tú no eres especial por eso.

El monje se quedó boquiabierto. Iba a replicar algo, pero el otro continuó:

–Yo era un chiquillo mucho más joven que tú cuando el señor feudal de mi tierra arrasó mi aldea y mató a mi familia. Debía de tener cinco o seis años, pero aquel día la infancia se acabó para mí. –Hablaba con voz fría y desapasionada, como si ya nada pudiera herirle, como si hubiera perdido la capacidad de sentirse impresionado–. Tuve que echarme a los caminos y a veces pasé hambre y frío, y corrí peligro; pero no me fue tan mal. En cambio tú, muchacho, encontrarás refugio en cualquier monasterio. Allí te escucharán.

–Nadie me escuchará en ningún monasterio –dijo el monje a media voz–. Y ni siquiera voy a intentarlo. Tengo que ir a la Ciudad Dorada y el tiempo se acaba.

El juglar lo miró extrañado y pensativo. Su perro lanzó un corto ladrido.

–Dices cosas muy raras, chico. O estás loco o tienes una historia interesante que contar. Si me lo explicas, tal vez pueda encontrar alguna pista sobre esa Ciudad Dorada.

El muchacho no respondió. Parecía dudar.

–Bueno, está bien –concluyó el juglar encogiéndose de hombros–. No tengo todo el día y no puedo esperar a que te decidas. Que tengas suerte, muchacho.

Dio media vuelta y echó a andar por la plaza.

–¡Eh, espera!

El monje corrió tras él.

–Puedo acompañarte un trecho –dijo–. Hasta el próximo pueblo. Te contaré lo que sé, y quizá puedas ayudarme... si es cierto lo que dicen de ti.

–La gente habla mucho. Nunca me detengo a escuchar lo que se dice de mí. ¿Cómo te llamas?

–Michel –contestó el monje, agradecido–. Michel d'Évreux.

El juglar asintió.

–Yo soy Mattius –dijo solamente.

• • •

El joven religioso había olvidado sus prejuicios. Mientras caminaba junto al alto juglar por una vereda flanqueada de abedules, se preguntó por un momento qué le había impresionado tanto de aquel hombre como para pedirle su atención y su compañía. «El mundo está loco», se dijo.

–¿Y bien? –preguntó Mattius al cabo de un rato.

–Yo nací en una familia pobre –comenzó Michel–. Éramos ocho hermanos, y yo era el más débil. Era una carga para mi familia y, además, me sentía atraído por la vida religiosa y la austeridad y espiritualidad de los monjes de Cluny. Por eso mis padres me ingresaron muy joven en un monasterio que dependía de la orden. Eso fue hace ocho años, cuando yo tenía seis. Allí aprendí latín y muchas otras cosas, pero, como lo que realmente me gustaba eran los libros, y tenía buena letra, pronto me pusieron a trabajar como amanuense.

»La verdadera historia comienza hace unas semanas, cuando tuve que copiar en el *scriptorium* un libro muy especial. ¿Has oído hablar del Apocalipsis?

–¿El Apocalipsis? El párroco de mi aldea nos contaba cosas cuando éramos niños, para asustarnos. Sobre terribles catástrofes que sacudirán el mundo cuando esté próximo el día del Juicio.

–Hambres, plagas, guerras y epidemias –asintió Michel; hablaba con alguna dificultad porque le costaba seguir el ritmo del juglar, y comenzaba a cansarse–. El mundo envejece y, por tanto, ha de morir. El final del reinado de Cristo sobre la Tierra se acerca. El fin del mundo, según el Apocalipsis, ocurrirá un milenio después del año del nacimiento de nuestro Señor. Exactamente dentro de tres años.

Mattius se le quedó mirando.

–¿Y eso es todo? ¿Vas a decirme que el fin del mundo se acerca y debemos expiar nuestros pecados?

–No, por supuesto que no –jadeó Michel–. A pesar de lo que diga el Apocalipsis, ningún mortal puede poner fecha al día final. Eso lo sabe cualquier religioso –hizo una pausa para recuperar el aliento–. Oye, ¿te importaría que parásemos un momento? Vas demasiado deprisa para mí. Además, quiero enseñarte algo.

Se detuvieron junto a una fuente para descansar. Michel metió la cabeza bajo el chorro que brotaba de entre las rocas y la sacó completamente empapada. Mattius esperaba con cierta impaciencia.

El muchacho alcanzó su zurrón y extrajo un enorme libro de su interior. El juglar se acercó y lo observó con un extraño brillo en los ojos.

–Ese códice debe de valer una fortuna –comentó.

Michel se sobresaltó y lo miró. En su interior renacía la desconfianza, y Mattius se dio cuenta.

–No te lo voy a robar –dijo–. Me gustan los libros, y ese está miniado, además. Es una joya.

El joven monje no respondió. Buscaba algo entre las páginas del códice. Mientras pasaba hojas, Mattius contemplaba las ilustraciones con rostro serio.

–Son terribles –comentó.

–Son imágenes del fin del mundo. –Michel detuvo su búsqueda para enseñárselas con más calma–. Este libro es una copia de una obra que escribió cierto monje cántabro, llamado Beato de Liébana, hace más de doscientos años. Son unos comentarios al Apocalipsis de San Juan. Me lo dieron para que lo copiara en el *scriptorium*.

–¿Y tú sabes pintar cosas así? –preguntó Mattius señalando las miniaturas.

Michel enrojeció.

–No, en realidad... todavía no. Yo solo copio la letra. Son otros los que reproducen las ilustraciones. Pero el libro no es lo más importante. –Reanudó su busca entre las páginas del volumen, hasta encontrar un legajo de hojas sueltas–. Ajá, aquí está. Esto es lo que quería enseñarte.

Le tendió los pergaminos a Mattius, que les echó un vistazo rápido y volvió a clavar su mirada en él.

–¿Qué pasa? Ah, perdona. No sabes leer, ¿no es eso? Trae, yo te lo leeré.

–Sé leer –replicó Mattius con cierta guasa–, pero solo romance. Nadie me ha enseñado latín.

–Ah... perdona –se disculpó de nuevo–. Te lo explicaré. Hace aproximadamente cuarenta años, un viejo ermitaño, Bernardo de Turingia, se presentó ante una asamblea de barones y les dijo que Dios le había revelado, por medio de una serie de visiones, que el mundo se acabaría en el año mil.

–No es la primera vez que oigo cosas de ese tipo. Es una extraña obsesión que les ha dado a algunos últimamente. ¿Y qué más?

–Por supuesto, no le creyeron. Pero describió sus visiones en esta serie de pergaminos que yo encontré en el códice. Tengo razones para creer que estas revelaciones son auténticas.

–¿Qué razones?

–Entre otras cosas, predijo la fecha exacta de la muerte del rey franco Hugo Capeto. Día, mes y año. No me fue difícil averiguarla, porque falleció el año pasado. Bernardo de Turingia acertó de pleno, y no tenía modo de saberlo; murió más de treinta años antes que el monarca.

–Como no sé latín, no puedo comprobar que me dices la verdad. De todas formas, aun en el caso de que el mundo se fuera a acabar en el año mil, ¿qué tiene que ver eso con tu Ciudad Dorada?

–Ten paciencia; ahora te lo explicaré. Según el ermitaño, la Rueda del Tiempo se sustenta sobre tres ejes, tres amuletos de gran poder: el Eje del Pasado, el Eje del Presente y el Eje del Futuro. Cada mil años, alguien los reúne para invocar al Espíritu del Tiempo y darle razones para que juzgue a la humanidad digna de vivir mil años más. Bernardo no está seguro, pero cree que el último pudo ser Jesús de Nazaret.

–¡Un monje de Cluny declarando que Jesucristo salvó al mundo mediante tres amuletos, pero solo por un milenio! –comentó el juglar, asombrado–. Muchacho, tú no estás bien de la cabeza.

Michel pareció incómodo.

–Yo no digo que eso fuera así, y el anciano que escribió estos pergaminos tampoco lo sabía seguro, eran solo conjeturas. De todas formas, yo no comparto su teoría.

–Entonces quieres invocar a ese Espíritu para que la humanidad viva mil años más –resumió Mattius–. ¿Y tienes esos ejes en tu poder?

–De eso se trata: están repartidos por toda Europa. Bernardo los vio en sueños, vio los lugares donde se guardan, pero eran sitios que él no conocía y que nunca había visitado. Describe uno de ellos como una gran Ciudad Dorada, símbolo del poder terrenal, con un magnífico palacio. Por eso la estoy buscando.

–Es decir, que allí se encuentra una de esas joyas y tú has partido para buscarla. Con esos datos no irás muy lejos, chico.

–No tengo otra opción –replicó Michel muy serio–. Se nos acaba el tiempo. Hay que encontrar los ejes antes del milenio, e invocar al Espíritu del Tiempo. Si no lo hacemos, la Rueda se detendrá y todo habrá terminado.

Mattius se encogió de hombros.

–¿No dice la Iglesia que Jesucristo volverá para juzgarnos a todos? ¿Qué importa que sea antes o después?

–Importa porque solo hemos empezado a cambiar el mundo. Los seres humanos no hemos asimilado todavía la doctrina divina y no hemos tenido tiempo de hacer todo lo que Cristo nos enseñó.

–Pues yo diría que mil años son muchos años –observó el juglar.

Michel se apartó de él, molesto. Cerró el libro y lo guardó en su morral.

–Seguiré yo solo –dijo fríamente–, si no crees que haya cosas en el mundo que merezcan ser salvadas.

–Me parece que te precipitas, amigo. ¿Qué dicen tus superiores a esto?

–Nadie cree en la profecía de Bernardo de Turingia. El abad de Saint Paul me dijo que lo mejor que podía hacer era celebrar con alegría el milenio del nacimiento de nuestro Salvador. El fin del mundo, me dijo, no puede llegar aún, porque la Iglesia no está del todo establecida y la paz no ha llegado al mundo.

»Yo le repliqué que por eso necesitábamos más tiempo. Mil años más y el ser humano habrá alcanzado la perfección espiritual, estoy seguro. Pero todavía no estamos preparados para el final de los tiempos.

–¿Y qué contestó a eso?

–Que eran pamplinas y que me quitara aquellas cosas de la cabeza.

–Ahora comprendo por qué me has contado todo esto a mí. Pero, suponiendo que eso sea cierto, ¿por qué crees que la humanidad merece seguir viviendo? Tú te has criado en un monasterio. No sabes nada del mundo real. No has visto a la gente morir de hambre, trabajar de sol a sol para alimentar a sus hijos y luchar para que sobrevivan al próximo invierno. No has visto la miseria de los apestados, el miedo ante un ataque vikingo en las costas de la Normandía. No has visto cómo dejan los señores los pueblos por donde pasan si los campesinos no pagan lo que dicen ellos que se les debe. ¿Y qué hacen los poderosos? El Imperio y el

Papado se pelean por el poder mientras el pueblo muere de hambre. El rey de Francia se halla al borde de la excomunión y la Iglesia está escindida. En la península Ibérica luchan contra el Islam, que avanza cada vez más. ¿Para qué prolongar el sufrimiento, la miseria, la enfermedad y el hambre? El mundo está viejo, dices. Déjalo morir.

–Pero... pero... ¿tú no quieres seguir viviendo?

–Tengo la conciencia bien limpia y no temo por mí. He viajado mucho, amigo; he visto muchas cosas. Siento tener que abrirte los ojos, pero la vida no es como te la pintan en los libros, tan hermosa como para que valga la pena conservarla mil años más. Lo siento. Es cuanto puedo decirte. Y ahora, adiós; tengo prisa.

Volvió a cargarse el macuto al hombro.

–¡Espera! –lo detuvo Michel–. Al menos dime si conoces la Ciudad Dorada. Un lugar grandioso lleno de riquezas, sede el poder terrenal y perecedero.

Mattius lo meditó un momento.

–Puede ser cualquier gran ciudad –dijo–. Pero, con esa descripción, yo apostaría por Aquisgrán.

–¿Aquisgrán?

–En francés, Aix-la-Chapelle. La residencia del emperador Otón III.

–¿Tú has estado alguna vez allí?

–No –admitió el juglar–. Pero tenía pensado visitarla algún día.

–¿Quieres acompañarme?

Mattius sonrió.

–¿En serio piensas ir? Estás más loco de lo que yo creía. Se tarda tres meses de aquí a Aquisgrán, cuatro en invierno. Cinco con tu ritmo –añadió con cierto tono burlón–. Y eso siempre que no te encuentres con problemas en el camino.

Michel no respondió, pero se le quedó mirando con expectación.

–A ver si te enteras, chico –dijo el juglar, algo molesto–. Yo viajo solo. Aunque quisiera ir a Aquisgrán, no permitiría que me acompañaras. Serías una carga.

Michel se encogió de hombros.

–Como quieras. Entonces iré solo.

Cogió su macuto y se lo cargó a la espalda resueltamente.

–Encantado de conocerte, Mattius –dijo con gravedad–. Espero que volvamos a encontrarnos...

–... antes de que se acabe el mundo –completó el juglar con malicia.

Michel ignoró el comentario sarcástico. Se despidió con un gesto y echó a andar por la vereda. Mattius se quedó parado, mirándole, mientras su perro ladraba al ver cómo el muchacho se alejaba.

–¡Espera! –lo llamó el juglar.

Michel se volvió.

–Has de ir hacia el norte –gruñó Mattius–. Nunca llegarás a Aquisgrán por ahí. Bueno –añadió–, dejémoslo en que nunca llegarás a Aquisgrán y punto.

–Pues yo voy a intentarlo.

–No sé qué os enseñan en el monasterio, sinceramente –masculló Mattius–. Por lo visto, eso del *ora et labora* no va contigo. ¡Espera!

El muchacho seguía caminando. El juglar soltó una maldición por lo bajo y corrió para alcanzarlo.

–Me sentiré culpable si luego te pasa algo –explicó–. Al menos supongo que sabrás hablar alemán.

–No –confesó Michel–. ¿No es parecido al francés?

–Dios mío, muchacho –murmuró el juglar–, eres hombre muerto. Lo mejor que puedes hacer es buscar un monasterio y quedarte allí tranquilamente esperando el fin del mundo.

–Sabes que no lo haré –replicó Michel suavemente–. Iré a Aquisgrán, con o sin ti.

–Está bien –suspiró Mattius–, supongo que me da igual un sitio que otro, y no conozco muchas baladas alemanas. Será una buena ocasión para aprender.

Michel sonrió.

–Fabuloso –dijo.

• • •

Por descontado, no llegaron a Louviers antes del anochecer, y tuvieron que detenerse en una fonda por el camino; faltaba poco para la primavera, pero aún hacía frío, y no era aconsejable dormir al raso.

Mattius pronto descubrió lo delicado que era el monje, poco habituado a las caminatas duras, y se vio obligado a adaptar su ritmo al del muchacho, con el consiguiente retraso. «Por lo menos no se queja mucho», pensaba.

Era cierto. Michel era poco dado a protestas y lloriqueos; más bien solía permanecer en silencio, perdido en sus pensamientos, mientras caminaba. Y en los descansos se dedicaba a estudiar su libro con gesto serio y grave, mordisqueando un pedazo de pan o una manzana, balanceándose hacia delante y hacia atrás, pálido y ausente.

–Eres un tipo raro –le dijo Mattius un día–. A veces me da la sensación de que vienes de otro mundo.

Michel solo sonrió y sacudió la cabeza. Él no lo sabía, pero los últimos acontecimientos y la certeza de que el mundo se iba a acabar habían madurado mucho su carácter. Estudiaba una y otra vez los pergaminos y simplemente pensaba. Le daba muchas vueltas a todo cuanto sabía sobre la predicción del año 1000, y repasaba cientos de veces los apuntes de Bernardo de Turingia sobre la Ciudad Dorada y el lugar donde se hallaba el Eje del Presente, aunque sabía que aún tardarían mucho en llegar. Quizá tuvieran suerte y lograran alcanzar Aquisgrán antes del fin del verano.

Mientras, seguían su camino hacia el norte. Michel pronto comprobó que era cierto todo lo que se decía de su acompañante. Raro era el pueblo donde no había llegado la fama de Mattius el juglar. Gracias a sus historias y romances, no solían tener problemas para encontrar alojamiento y comida. El muchacho llegó a descubrir con sorpresa que no solo aldeanos y burgueses lo recibían con alegría: Mattius era requerido incluso en castillos y monasterios, aunque por norma general nunca aceptaba tales invitaciones.

–¿Por qué nunca actúas para caballeros? –le preguntó Michel un día que rechazó la llamada de un conde que quería que cantara en la boda de su hijo–. Podrías ser rico.

Mattius sonrió.

–Dicen que en Occitania hay una extraña clase de poetas que cantan a las damas y viven en palacios –respondió–. Si yo fuera de castillo en castillo, terminaría por quedarme como sirviente de algún noble y acabaría siendo igual que ellos. Y, sinceramente, no es vida para mí. Necesito viajar de un lado para otro. Además... –se puso serio–, ellos no necesitan de mí. Ya hay muchos juglares famosos cantando sus hazañas. Es necesario que siga habiendo por los caminos gente como yo, que lleve un poco de alegría a los más humildes.

Michel no comprendió muy bien esto último, pero no preguntó más.

Pronto aprendió que, pese a haberse quedado sin hogar muy joven, Mattius era un juglar por vocación y no por necesidad. Le apasionaban las historias, tanto escucharlas como relatarlas, y tenía una memoria prodigiosa en la que almacenaba cientos, quizá miles de cantares, poemas, cuentos, romances, relatos y canciones en varios idiomas.

Tenía un estilo especial, fruto de su aguda inteligencia y su gran personalidad, que lo distinguía de aquellos que basaban sus actuaciones en piruetas y payasadas, e incluso de otros cantores de historias como él. Era realmente bueno en su oficio, y además se sentía a gusto con su trabajo; eso lo hacía diferente.

Con todo, poseía un carácter oscuro y cerrado. No tenía muchos amigos, y parecía que le molestaba la gente si se le acercaba demasiado. Fuera de actuaciones, era hermético y poco hablador; y a veces era mejor así porque, cuando abría la boca, se mostraba a menudo mordaz y sarcástico.

Esta era la otra cara del famoso juglar por quien suspiraban las jovencitas y a quien los nobles reclamaban para sus fiestas y celebraciones.

Por el momento, parecía que la compañía de Michel le era bastante soportable; el muchacho se alegraba por ello, pero, por si acaso, procuraba no molestar demasiado.

En realidad, le había caído en gracia a Mattius, que lo había «adoptado», por así decirlo, al igual que había hecho tiempo atrás con el enorme perro lobo que lo acompañaba a todas partes. «Es un niño todavía», se decía el juglar. «Lo llevaré a Aquisgrán para que vea que no hay nada allí y entonces lo dejaré en alguna abadía para que se hagan cargo de él». Mattius tenía la sensación de que si lo dejaba solo no llegaría muy lejos, aunque quizá lo subestimaba.

Abril entraba con fuerza cuando se adentraron en la región de la Picardía tras atravesar el Sena. Poco a poco, la vida errante y las caminatas al aire libre fueron fortaleciendo a Michel, aunque seguía estando muy delgado. El oficio de juglar no daba para grandes excesos gastronómicos –y menos ahora, que había que partir por tres–, pero tampoco se pasaba hambre, por lo que Mattius dedujo que Michel era delgado por constitución.

Pronto, sin embargo, empezaron a tener problemas. Atravesaban una región azotada por la sequía y el hambre. La hierba amarilleaba incluso en aquella época del año, los bosques parecían cansados y los árboles elevaban sus ramas al cielo suplicando lluvia. Las cosechas se agostaban, y la primavera avanzaba sin dejar caer una gota de agua; pronto cedería paso al implacable verano y habría menos posibilidades de que lloviera. «El mundo envejece», se decía Michel con tristeza.

Aunque quisieran, los campesinos no tenían con qué pagar las historias de Mattius. A menudo este actuaba gratis, sin importarle no recoger nada a cambio. En alguna ocasión se habían jugado el cuello cazando furtivamente en la reserva de algún señor.

Michel se preguntaba de qué podían valerle todos sus conocimientos para comer en el mundo real. Estaba viviendo del trabajo de Mattius y, ahora que la comida escaseaba, empezaba a sentirse culpable.

Un día, el monje notó que se desviaban hacia el oeste, y se lo dijo a su compañero.

–Lo sé –respondió el juglar–. Corren malos tiempos y debemos parar en un sitio mejor antes de seguir para Aquisgrán.

–¿Un sitio mejor? –repitió Michel, pero Mattius sonrió enigmáticamente.

Dos días después llegaban a la gran ciudad de Amiens.

Michel era un joven provinciano y jamás había estado en una gran ciudad. Lo miraba todo entre curioso y amedrentado, siempre detrás de Mattius, procurando no perderlo de vista, y tratando de no pensar en aquel penetrante olor que lo mareaba y que, según el juglar, era propio de todas las grandes ciudades.

Era día de mercado; tras las murallas que protegían Amiens de cualquier agresión exterior, campesinos, burgueses, artesanos y mercaderes se habían reunido en la plaza en busca de un trueque ventajoso. La sequía era la causante de que los productos expuestos fueran escasos y de baja calidad; pero, aun así, el lugar estaba lleno de gente.

–Todos en busca de una oportunidad –murmuró Mattius al ver una familia que pedía limosna para subsistir hasta que llegaran las lluvias.

A Michel se le iban los ojos detrás de la comida de los puestos, pero procuraba no entretenerse para no separarse del juglar, que se abría paso rápidamente hacia un espacio libre en los escalones que llevaban a la iglesia.

–Oye... –dijo Michel al ver que el juglar se detenía y sacaba su laúd–. ¿Vas a actuar aquí?

–¿Qué prefieres que recite? –le preguntó Mattius–. ¿El *Cantar de Carlomagno* o el de Roland?

–Carlomagno está bien. Pero escucha...

Mattius no lo escuchó. Empezó a dar voces para anunciar su presencia, y varios curiosos se acercaron a oírle recitar.

Michel se apartó un poco. Una sesión de juglaría podría durar entre dos y tres horas. Suponía que con aquello recogerían algo de comida para la cena, pero, aun así, no creía que Mattius hubiera acudido a Amiens solo para actuar. De todas formas, no le quedaba más remedio que contener su curiosidad y esperar a que el juglar acabara su trabajo.

Se sentó por allí cerca para escuchar por enésima vez el *Cantar de Carlomagno*. Mattius sabía infinidad de poemas épicos, pero la gente parecía disfrutar oyendo siempre los mismos, los dos o tres que conocían porque otros juglares los habían cantado antes que él. Un juglar se debe a su público, de modo que Mattius simplemente recitaba lo que sabía que iba a tener éxito.

Michel no se quedó mucho tiempo allí. Cuando estuvo claro que Mattius iba a recitar todo el poema, se dijo que era mejor dar una vuelta por el mercado, sin alejarse demasiado. Volvería antes de que el juglar terminara.

Aferró bien su zurrón y se perdió entre la gente.

Deambuló durante más de una hora por el mercado y sus alrededores, y pronto descubrió lo frustrante que era ver tanta comida y no poder cogerla simplemente alargando la mano; pero él no tenía nada que dar a cambio. No pensaba deshacerse de su valioso códice, y de todas formas no se lo iban a aceptar. Los libros eran tan raros que la gente de a pie generalmente no sabía qué hacer con ellos.

Se resignó y decidió regresar a los escalones de la iglesia, donde Mattius probablemente ya estaba acabando de relatar las hazañas de Carlomagno.

—¡Hermano!

Michel se volvió. Una figura encorvada, envuelta en una capa raída, se apoyaba contra la pared en un rincón en penumbra.

—Una limosna, hermano —murmuró el mendigo—. No tengo casa, ni familia, ni amigos...

Michel se apiadó de él y se acercó, rebuscando en su zurrón por si le quedaba algún mendrugo de pan para darle. Pero cuando vio el rostro del desconocido a la luz retrocedió, asustado: su piel parecía descomponerse y caerse a pedazos. No tenía nariz.

—¡Hermano! —suplicó el mendigo.

Michel se alejó unos pasos, mientras su corazón luchaba entre la repugnancia y la compasión. Una voz lo rescató:

—Lo siento, amigo, tenemos prisa.

Michel sintió que lo agarraban del brazo y lo sacaban a rastras de la boca del callejón.

–La próxima vez no tendrás tanta suerte –le advirtió Mattius.

Al monje no se le había ocurrido ni por un momento que hubiera corrido peligro.

–¿Por qué? ¿Iba a robarme?

El juglar negó con la cabeza.

–No lo creo. Era un pobre diablo, pero has de tener cuidado con la gente de aquí. Las ciudades suelen ser foco de enfermedades y epidemias, y nunca se sabe cuáles son contagiosas y cuáles no.

–¿Quieres decir que debía alejarme de aquel hombre porque estaba enfermo?

La voz de Michel tenía cierto tono de indignación, y Mattius lo miró con seriedad.

–Si quieres ayudar a la gente, ocúpate de los vivos –dijo–. Ese mendigo estaba virtualmente muerto. Acercándote a él, solo habrías logrado enfermar. Si de veras Dios te ha elegido para ayudar a los más débiles, no conseguirás nada quitándote de en medio tan pronto.

El muchacho no respondió, pero su expresión era pesarosa. Tenía buenas intenciones, se dijo el juglar, pero a veces la vida no era tan sencilla. Mucha gente había empezado con buenas intenciones y había terminado comprendiendo que lo mejor que podía hacer uno era preocuparse de sí mismo y tratar de ganar en la lucha por la supervivencia. Michel también lo aprendería.

–Yo creía que en la ciudad se vivía mejor –reflexionó el chico al cabo de un rato–. ¿Por qué hay más enfermedades aquí?

–No lo sé, pero es así; supongo que se debe a que la gente vive más junta.

Michel se dio cuenta entonces de que hacía rato que habían abandonado la plaza, y caminaban por una calle estrecha y retorcida.

–¿Adónde vamos? –quiso saber.

–A ver a un amigo.

Michel iba a preguntar más, pero Mattius le puso en las manos un pedazo de queso:

–Ten, come.

Y sus tripas comenzaron a sonar reclamando aquello que olía tan bien. Le hincó el diente al queso y eso lo mantuvo ocupado hasta que llegaron a una casa baja y oscura. Sin embargo, Michel notó que era de piedra y no de madera. Quienquiera que viviera allí, no andaba falto de recursos. Mattius llamó a la puerta.

–¿Quién es? –preguntaron desde dentro.

–¡Noticias de todas partes! –anunció el juglar.

Hubo un breve silencio.

–¿Mattius? –dijo la voz, y la puerta se abrió con un chirrido. Por la rendija asomó el rostro de un viejo barbudo de ojillos inquisidores.

–¡Caramba, eres tú! ¡Cuánto tiempo! Pasa, anda. –Se fijó entonces en Michel–. ¡Traes compañía! Me extraña mucho en ti.

–Es inofensivo –respondió Mattius–. Estaba un poco perdido y decidí acompañarlo. ¿Podemos pasar?

El viejo frunció el ceño al reparar en los hábitos de Michel.

–Un monje negro –murmuró refiriéndose al color de la túnica de Michel, que lo señalaba como miembro de la orden de Cluny–. Está bien, pero solo porque eres tú.

La puerta se abrió del todo. Fue entonces cuando Michel descubrió un grabado en la tosca madera: una estrella de David. Sobresaltado, tiró a Mattius de la manga.

–¿Qué pasa?

Michel no quería ser descortés, de modo que procuró hablar de forma que el judío no lo escuchara:

–Es que no sé si debo entrar ahí –confesó en voz baja.

–¡Tonterías!

Mattius lo agarró sin contemplaciones y lo metió dentro. El monje estaba demasiado débil para resistirse y, además, su compañero le había dado a lo largo del viaje bastantes motivos para confiar en él, de modo que no protestó.

Entraron en una habitación no muy grande, con una especie de mostrador al fondo. En los estantes de las paredes se apiñaban objetos diversos, algunos tan curiosos que Michel no sabía para qué servían. En la chimenea brillaban los restos de un fuego. Al fondo, una escalera llevaba a la parte de arriba, donde sin duda se encontraba la vivienda.

El viejo había vuelto a colocarse tras el mostrador. Frente a él, sentado en un taburete, había un hombre de cabello cano y semblante dulce.

–Pasad, no os quedéis en la puerta –los invitó el judío–. Mattius, este es mi amigo Teófilo. Creo que no os conocéis. Es griego.

Teófilo se levantó para saludar a Mattius.

–Soy Mattius el juglar –se presentó este–. Y... mi amigo, Michel.

–Encantado –dijo el griego; hablaba un francés de acento musical.

–¿Qué te trae por aquí, Mattius? –preguntó el judío–. Cuando adoptaste a ese perro te dije: «Lo próximo será una mujer». Pero lo que no esperaba era que trajeras un jovencito.

Michel enrojeció hasta la raíz del cabello.

–Es él lo que me trae por aquí –replicó el juglar sin inmutarse–. Va hacia Aquisgrán y, la primera vez que lo vi, pensé que solo no llegaría muy lejos.

–De modo que repostas aquí antes de iniciar un largo viaje.

–Eres un lince, Isaac –respondió Mattius con una carcajada–. De todas formas, mis motivos no son solo materiales. También pasaba a saludar a un viejo amigo.

El judío tosió.

–Eso siempre se agradece. Y dime, ¿de dónde vienes esta vez?

–De Normandía.

–La tierra de los vikingos franceses. ¿Y qué se cuenta por allá?

–Nada bueno. Los campesinos se sublevaron contra sus señores a finales del invierno. Fue un levantamiento terrible.

–¿Y qué pasó?

–¿Qué iba a pasar? Los nobles los machacaron: fue una auténtica masacre.

–¿Y qué dice el rey de Francia?

–El rey de Francia tiene sus propios problemas: se dice que el Papado va a excomulgarle por esa boda tan extraña... A nadie en Roma le pareció bien que se divorciara de su primera mujer.

–El mundo está loco –comentó el judío–. Problemas por todas partes, y a la Iglesia cristiana le preocupa un matrimonio.

–Tiene que haber un motivo político. Una alianza o algo así. Siempre los hay.

Michel bajó la cabeza. Debía decir algo. Al fin y al cabo, pertenecía a la Iglesia, y se sentía incómodo con los dos hombres hablando de aquella forma. Sin embargo, permaneció callado.

–Me pregunto qué es lo que pasa últimamente –concluyó Isaac–. Todo son malas noticias. Nada funciona como debería.

–Nuestro amigo tiene una teoría sobre ello –anunció Mattius señalando a Michel–. Dice que se acerca el Apocalipsis.

Michel volvió a enrojecer, pero Isaac y Teófilo lo miraban con curiosidad. Mattius refirió punto por punto las teorías de Bernardo de Turingia y el motivo del viaje a Aquisgrán. El joven religioso continuó con la cabeza baja, pensando que se burlaba de él.

–No es la primera vez que oigo algo parecido –dijo el griego, pensativo–. Puede que haya algo cierto en esa teoría tuya del milenio, o el *chiliasme*, como se dice en mi idioma. En todas partes hay leyendas que dividen el mundo en edades; no solo el cristianismo habla de milenios.

–Entonces, ¿realmente crees que puede ser cierto lo que dice este chico? –quiso saber el juglar.

–No sé; pero me viene a la memoria una antigua leyenda griega que habla de los tres ojos de Cronos, el dios del Tiempo. El ojo del Presente, el ojo del Pasado y el ojo del Futuro.

–¿Cronos, has dicho? Me encantan las historias antiguas. Cuéntame más.

–Se dice que durante la Primera Edad, la llamada Edad de Oro, Urano gobernaba como rey de los dioses. Cuando Cronos, su hijo, lo destronó, iniciando la Edad de Plata, se aseguró el puesto comiéndose a todos los hijos que nacían de su esposa, Rea. Pero uno escapó. Se llamaba Zeus. Los temores de Cronos eran fundados, porque su hijo luchó contra él y lo derrotó, inaugurando la Edad de Bronce. Fue en esta batalla cuando Cronos perdió sus tres ojos. La leyenda asegura que el día del *chiliasme*, cada mil años contando a partir de la fecha de su derrota, el dios del Tiempo recupera los tres ojos y echa un vistazo al mundo. Si en una de esas miradas descubriera que las personas han descendido hasta una Edad de Barro, su furia asolaría la tierra, y volvería la era de los titanes.

–Interesante –comentó Mattius.

Teófilo se encogió de hombros.

–Es una leyenda poco conocida, incluso en Grecia. Pero tiene algo en común con la teoría del monje.

Isaac negó con la cabeza.

–Ningún mortal podría detener el fin del mundo, jovencito –le dijo a Michel–. Ni siquiera con tres joyas mágicas.

–No se trata de detener el fin del mundo –respondió Michel con suavidad–. Solo de aplazarlo. Este mundo solo es un paso hacia otro mejor, donde se nos juzga de acuerdo con nuestros actos aquí. Pero si llegara ahora mismo el día del Juicio, la humanidad en masa se condenaría.

–¿Tú crees? –preguntó Mattius, divertido.

Michel simuló no haberle escuchado.

–Necesitamos más tiempo para aprender, para evolucionar. Para que la paz y el amor lleguen al mundo, para que llegue el día en que todos seamos hermanos. Estoy seguro de que la humanidad puede conseguirlo, y que mil años más bastarían.

En aquel momento llamaron a la puerta.

–No debes de estar bien de la cabeza, jovencito –dijo Isaac levantándose para abrir–. Y te vas a meter en problemas por creer en esas cosas.

Salió de la habitación. Michel dirigió su mirada a Teófilo.

–¿Tú me crees? –preguntó.

–Siempre he pensado que tan necio es el hombre excesivamente crédulo como el que peca de escéptico –respondió el griego–. Puede que tengas razón o puede que no. Pero no sería prudente rechazarlo de plano antes de comprobarlo.

El judío entraba de nuevo, seguido por una mujer que venía a empeñar un par de botas. Hubo un silencio mientras ellos cerraban el trato.

–De todas formas –dijo entonces Mattius a Michel–, aunque tuvieras razón y el fin del mundo se acercara, no puedes estar seguro de que podrías evitarlo con esas tres joyas que buscas.

Al oír esto, la mujer que había entrado se sobresaltó y se puso blanca como la cera. El juglar lo notó.

–¿Te encuentras bien, hermana?

Ella murmuró algo apresuradamente, cerró el trato con Isaac, recogió su dinero y salió con cierta precipitación.

–¿Sabrá algo sobre tu historia, Michel? –murmuró Mattius.

Michel cruzó una breve mirada con él; se levantó rápidamente y corrió hacia la puerta. Pero cuando se asomó fuera, por más que miró no vio ya a la mujer; se había esfumado.

Volvió con los otros.

–Una forma muy extraña de proceder –estaba diciendo Isaac–. Yo creo que la historia del fin del mundo no le era desconocida.

Mattius miró fijamente al monje, que volvió a sentarse sobre la estera.

–Esto empieza a ponerse misterioso, amigo –le dijo–. Lo has conseguido: has captado todo mi interés.

–No juegues con fuego, Mattius –le advirtió Isaac señalándole con un dedo ganchudo–. El mundo no está como para hacer de héroe.

–De cualquier modo, este chico piensa llegar hasta Aquisgrán y no voy a dejarlo solo –declaró el juglar–, y menos con los tiempos que corren. De forma que, en cuanto nos aprovisionemos de todo lo necesario, partiremos para allá. ¿Algún consejo?

Isaac movió la cabeza negativamente.

–Nunca he estado tan al norte, así que me temo que esta vez no voy a serte de gran ayuda. No conozco ninguna sede del gremio en Aquisgrán. Solo sé decirte que es la capital del imperio germánico: una gran ciudad. Y está muy bien fortificada, imagino, y vigilada por la guardia del Emperador. Procura no meterte en líos.

–Lo haré –prometió Mattius–. ¿Algo más?

–No dejes de visitar la Capilla Real –aconsejó Teófilo–. Cuentan que es una auténtica maravilla, incluso trajeron mármoles de Italia para construirla. Dicen que allí está enterrado Carlomagno.

–El corazón de la Ciudad Dorada –murmuró Michel–. Es allí donde está el Eje del Presente.

–No es por desilusionarte, amigo –dijo Mattius–, pero ¿sabes qué aspecto tiene ese eje?

Michel no respondió, pero sacó el legajo de las profecías de Bernardo de Turingia y les mostró uno de los pergaminos.

Mattius, Isaac y Teófilo se echaron hacia delante para verlo mejor a la débil luz del candil.

Se trataba del dibujo de tres extraños amuletos con forma de ojo. En su centro, a imitación de una pupila, había una piedra preciosa.

–Los Ejes de la Rueda del Tiempo –murmuró Michel–. Bien podrían ser también los Ojos de Cronos.

–¿Y si la Ciudad Dorada no es Aquisgrán? –preguntó el griego–. Podría ser cualquier gran ciudad: Roma, Jerusalén, Constantinopla, Alejandría.

–No; ahora estoy seguro de que vamos por buen camino. Bernardo describe una gran capilla junto a un palacio. El eje está prendido en el pecho de un hombre que duerme. Así lo contempló él en sus visiones.

–Un montón de desvaríos de un viejo loco –refunfuñó Isaac–. Aunque seas cristiano y te creas poseedor de la verdad, ni siquiera tú puedes jugar con las cosas de Dios.

–Correremos el riesgo –filosofó Mattius–. Ahora, es preciso que recojamos lo necesario para el viaje y salgamos de inmediato.

–Está anocheciendo. ¿Piensas salir de noche de Amiens? Hacia el norte es todo bosque, ya lo sabes. Está plagado de proscritos y ladrones.

Mattius pareció dudar.

–Si partís mañana temprano, podréis llegar a Péronne antes del anochecer –añadió el judío.

–¿Quieres que pasemos por Péronne? –adivinó el juglar.

–Tengo familia allí. Si les llevas un paquete de mi parte y me relatas algunas historias esta noche, puedo financiar parte de tu viaje a Aquisgrán.

Mattius sonrió.

–Me alegro de que nos entendamos tan bien –dijo.

Michel simplemente se dejó llevar. Al abad de su monasterio no le habría gustado saber que dormía en casa de un hereje, pero el chico no lo consideraba importante si lo comparaba con la inminente llegada del fin del mundo.

Con todo, aquella noche, echado sobre un jergón en casa del judío Isaac de Amiens, Michel no podía dormir. La idea de que por primera vez tenía una pista sólida a la cual agarrarse lo ponía nervioso. Cuantas más vueltas le daba, más convencido estaba de que los pergaminos se referían a Aquisgrán.

Sin embargo, se obligó a sí mismo a no confiarse. El mundo era grande y, aunque encontraran el Eje del Presente en Aquisgrán, aún quedaban dos más que podían estar ocultos en lugares tan remotos que se necesitaran varios años para alcanzarlos. Era una búsqueda más bien desesperada, pero Michel sabía que no tenía otra opción.

Aún resonaban en sus oídos las palabras del judío: «Ni siquiera tú puedes jugar con las cosas de Dios». Michel comprendía su punto de vista, pero no lo compartía. Estaba seguro de que las visiones de Bernardo de Turingia eran una última oportunidad que Dios les daba a los hombres para que evitaran el fin del mundo. Cuanto más lo pensaba, más obvio le parecía que no era casualidad que él fuera el único superviviente a la masacre del monasterio. «Podría haber sido cualquier otro», se decía. «Un caballero, un guerrero, un aventurero. Pero no, yo encontré esos pergaminos y escapé de los húngaros. Y tengo que seguir adelante».

Este convencimiento era lo único que le quedaba ahora que sus bases ideológicas se estaban desmoronando una tras otra. Pero no era una idea tranquilizadora; cuanto más pensaba en ello, más le atenazaba el desaliento. «Podrías haber elegido a cualquier otro», dijo en silencio mirando a las alturas. «¿Por qué yo?».

No escuchó la respuesta, pero creyó encontrarla dentro de su corazón. Su empresa no era imposible, aunque sí muy difícil. Si había sido él el destinatario de las profecías de Bernardo de Turingia era porque existía alguna posibilidad, por mínima que fuera, de que lograse reunir los tres ejes e invocar al Espíritu del Tiempo.

Ya más sereno, y con una leve sonrisa de confianza en los labios, Michel se quedó dormido.

* * *

A la mañana siguiente se levantaron poco antes del alba, recogieron sus escasas pertenencias y se despidieron de Isaac.

—He oído decir —les contó el judío— que en Caudry van a poder celebrar este año su Fiesta de la Primavera, porque se ha pactado una Paz de Dios. Es dentro de cinco días; si llegáis a tiempo, puede ser una buena oportunidad para ti, Mattius.

El juglar asintió sonriendo. Le gustaban las fiestas campesinas, especialmente las mayadas que se celebraban en primavera. Por lo que él sabía, en Caudry habían tenido problemas en los últimos años debido a las pillerías de los caballeros del señor del lugar. Pero la Paz de Dios, un compromiso entre el obispo y el señor feudal, garantizaría la tranquilidad al menos durante aquel día.

—Fantástico —dijo—. Nos pasaremos por allí.

Partieron de Amiens al rayar el alba, con las bolsas considerablemente más surtidas que antes. Mattius dudaba que con el ritmo de Michel lograran alcanzar Péronne al anochecer, pero el joven religioso se portó bien, y llegaron apenas dos horas después de que oscureciera.

Pernoctaron en casa de los parientes de Isaac. El paquete del judío contenía joyas de gran valor que enviaba a sus familiares más pobres, y Michel quedó asombrado. «Si yo fuera un judío», pensó, «nunca confiaría cosas tan valiosas a un juglar ambulante». Pero seguidamente se dio cuenta de que la cosa cambiaba cuando ese juglar era Mattius, lo bastante honrado como para que Isaac tuviera la certeza de que podía poner aquellas joyas en sus manos.

Mattius pareció leer en la mente del muchacho, porque le dedicó una serena sonrisa. Michel empezaba a pensar que había sido injusto con él solo por ser un juglar. Cuanto más tiempo pasaba con él, menos comprendía que su oficio estuviera tan mal visto. Comenzaba a descubrir que las cosas no eran exactamente como se las habían contado en el monasterio.

● ● ●

Dos días más tarde llegaron a Caudry, a tiempo para la Fiesta de la Primavera.

La aldea se había engalanado para la ocasión. Las muchachas vestían sus mejores trajes y en la calle principal se había formado un pequeño mercado; la noticia de que Caudry celebraba su mayada con garantías había atraído a los pequeños comerciantes y vendedores de la zona, y tampoco los granjeros y agricultores habían dejado pasar la ocasión. Un grupo de saltimbanquis actuaba en una esquina, pero Mattius comprobó, satisfecho, que no había ningún otro juglar.

Se presentó, pues, ante el hombre principal de Caudry, habló con él y pronto se corrió la voz de que el juglar más famoso de toda Francia iba a realizar una actuación especial en honor de los habitantes de la aldea.

La noticia fue acogida con alegría. La actuación de Mattius completaría los bailes y la música, los concursos, las canciones y las risas.

Michel lo observaba todo algo apartado. Nunca había asistido a una fiesta campesina. Su vida antes del monasterio se difuminaba en la bruma de borrosos recuerdos sobre su infancia. Y, desde luego, en Saint Paul nunca había visto nada semejante.

Había estado conversando con el párroco del lugar, el padre Pierre, pero este pronto tuvo que marcharse a atender otros asuntos. Michel se quedó solo en un rincón, consciente de que estaba algo fuera de lugar, mirando con interés las carreras, los juegos y las distintas competiciones entre muchachos.

Pronto empezó el baile, y el joven monje pretendió seguir al margen. Pero en las fiestas de Caudry, o bailaban todos o no bailaba ninguno, así que no pudo seguir pasando desapercibido. Un grupo de maliciosas muchachas lo sacó a rastras a bailar. Los demás lo recibieron a carcajadas, con una estruendosa alegría.

Michel se puso colorado, pero una de las jóvenes le enseñó a bailar al ritmo de la música.

–Es sencillo –le dijo–. Déjate llevar.

Bailaban en círculos, cambiando de lugar constantemente. Al principio, Michel se equivocaba con los turnos y se sintió un poco torpe, pero sus nuevos amigos le animaban y pronto estuvo bailando como el que más, riendo y saltando, y disfrutando de la fiesta.

–¡No pareces un monje de Cluny, amigo! –exclamó Mattius una vez que pasó cerca de él.

Michel volvió a enrojecer, pero no dejó de bailar.

La fiesta se prolongó hasta caída la tarde. Entonces todos se reunieron en torno a Mattius.

El juglar apuró un vaso de vino para aclararse la garganta y cogió el laúd. Sabía que iba a ser una sesión larga, pero no le importaba. Estaba ebrio de alegría, la gente reía y por un día no había miedo ni preocupaciones. «Si el mundo se acabara y yo pudiera salvar algo», se dijo, «salvaría las mayadas y las fiestas de la cosecha. Y la alegría en los ojos de la gente. Y la risa de los niños».

Se detuvo, perplejo. «Es ese condenado muchacho», pensó. «Ya empiezo a creer esa tontería sobre el fin del mundo».

Días como aquel resquebrajaban su dura capa de escepticismo. Días como aquel le hacían pensar que valía la pena seguir viviendo, a pesar del hambre y la guerra, a pesar de las epidemias y del odio..., a pesar de la época que le había tocado vivir.

Volvió a la realidad para descubrir que la gente lo observaba expectante. Rasgueó el laúd y comenzó su cantar.

Michel se sentía también feliz como nunca. Le habría gustado deshacerse de su hábito y ser un aldeano más, pero, aunque hubiera roto tantas reglas, por dentro seguía sintiéndose monje cluniacense, y lo sería hasta su muerte. «Y, de todas formas, para esta gente no todos los días son como hoy», se recordó. Una sombra de tristeza pasó por su rostro al recordar la miseria que había visto en su viaje, el miedo, las injusticias, el hambre.

Buscó en su interior y encontró su fe intacta, como cuando había abandonado el monasterio. «Seguro que hay una explicación para todo esto», pensó. «Solo soy un mortal y no alcanzo a comprenderlo. Eso es todo».

Se preguntó entonces si sería justo que intentara aplazar el fin del mundo.

Miró a su alrededor. La voz de Mattius transportaba a aquella gente humilde hacia otros mundos, otras eras, donde los héroes impartían justicia, donde todo acababa bien, donde no se pasaba hambre y siempre había alguien para vengar los agravios.

«Quizá este sea el mundo del futuro», se dijo Michel, confiado. «Si nos dan otra oportunidad, cambiaremos la Tierra».

El cantar seguía sonando. Todos estaban atentos porque ahora venía un momento de gran intensidad dramática: el héroe había sido retado por su enemigo y acababa de aceptar el desafío. Mattius hizo una brevísima pausa; una nota quedó temblando en su laúd.

Entonces se oyó un estrépito lejano de cascos de caballo acercándose a una velocidad de vértigo.

Todos volvieron la cabeza. Algunos se levantaron de un salto. En los rostros de muchos de ellos se reflejaban el miedo y la incertidumbre. El hechizo se había roto.

Como surgidos de las entrañas de una pesadilla, un grupo de hombres armados irrumpió en las calles de Caudry. Bajo los yelmos se adivinaban los ojos centelleantes, y sus poderosos brazos blandían espadas o mazas. Los enormes caballos atronaban el suelo con sus cascos y resoplaban por el esfuerzo, tensando sus músculos bajo la piel cubierta de sudor.

Todo fue muy rápido. En un instante, todos corrían a ocultarse. Había gritos de pánico, gente que tropezaba y se volvía a levantar, hombres valientes que intentaban hacer frente a los intrusos con herramientas o toscas armas improvisadas a partir de instrumentos domésticos...

Y entonces olieron el humo y vieron el fuego: los caballeros habían arrimado teas encendidas a los techos de paja y madera de las casas. Caudry ardía.

Los momentos siguientes fueron terriblemente confusos. Alguien gritó:

–¡El cielo os castigará por haber roto la Paz de Dios!

Su voz se ahogó.

Michel sintió que tiraban de él y, sin saber muy bien cómo, se encontró oculto en un granero.

Mattius estaba junto a él, y su rostro mostraba una expresión pétrea. Toda su alegría y su amabilidad parecían haber desaparecido mientras observaba lo que sucedía en el exterior a través de una rendija.

Pronto los caballeros se encontraron solos en la plaza. Incluso los vendedores habían abandonado sus puestos, envueltos en llamas, donde se quemaba lo poco que habían logrado reunir aquel invierno. Los atacantes habían apresado a dos muchachas que sollozaban y pataleaban, aunque sabían muy bien que todo era inútil. Una de ellas era la que había enseñado a bailar a Michel.

Cuando este lo vio, quiso salir en su ayuda, pero los guerreros ya se alejaban con las jóvenes.

El muchacho apretó los puños de rabia. Mattius lo miró.

–¿Todavía quieres salvar el mundo, chico? –murmuró–. ¿Salvar el mundo para que todo siga así?

–¿Por qué lo han hecho? –preguntó Michel, con los ojos llenos de lágrimas de impotencia.

Mattius se encogió de hombros.

–Se aburrían.

–No entiendo cómo alguien puede ser así. Debe de ser obra del diablo.

El juglar le dirigió una breve mirada.

–¿Sabías que el abad de tu monasterio era un gran amigo del señor de Caudry? –dijo solamente.

Michel se sintió desfallecer y se apoyó contra la pared del granero.

–En el fondo, todos sabían que una paz firmada sobre un trozo de papel no iba a cambiar nada –añadió Mattius–. Los campesinos no saben leer. Y los hombres del señor de Caudry, tampoco.

–¡Escucha! –lo interrumpió Michel aguzando el oído–. ¡Vuelven!

En realidad se trataba de un caballero rezagado que recorría las calles prendiendo fuego a todo lo inflamable. Los cascos del caballo sonaban peligrosamente cerca, y la puerta del granero se abrió de súbito para dar paso a un guerrero que cabalgaba portando una antorcha. Mattius y Michel quedaron agazapados tras la puerta. El corazón del joven monje latía tan fuerte que tenía la sensación de que el caballero podía escucharlo. Todo le daba vueltas. Sintió que se mareaba, afirmó bien los pies y echó un vistazo.

Ahogó un grito a tiempo.

El atacante se inclinaba sobre su caballo para prender fuego a un montón de heno. Mattius se acercaba por detrás con una enorme pala en las manos. La semioscuridad jugaba de su parte.

Hubo un golpe seco, y el hombre cayó de su montura. La tea encendida cayó sobre el heno, que se inflamó con un chasquido.

Mattius retuvo al caballo por las riendas.

–¡Date prisa! –apremió a Michel–. ¡No tenemos todo el día!

Michel obedeció y ambos montaron con dificultad en el animal, que caracoleaba nervioso con la vista fija en el fuego. Mattius lo controlaba a duras penas.

–¿Y el perro? –jadeó el monje, recordando que no lo había visto en un buen rato.

–Nos alcanzará.

Mattius puso el caballo al galope y Michel se aferró con fuerza a su cintura para no caerse. Salieron del granero en llamas y galoparon a través de las calles de la aldea, entre una multitud de campesinos que intentaban inútilmente salvar lo poco que quedaba de sus hogares.

Abandonaron Caudry a galope tendido, sin mirar atrás.

● ● ●

Michel guardaría pocos recuerdos de aquel viaje en la oscuridad, aferrado al caballo que guiaba Mattius, alejándose de aquella aldea donde había pasado tan buenos momentos. Nunca supo si el juglar había matado al caballero o lo había dejado inconsciente dentro del granero en llamas; ni tampoco llegó a entender por qué aquel grupo de hombres armados había acabado tan trágicamente con la alegría de un pueblo que solo quería olvidar un año de hambre y sequía.

En el monasterio le habían enseñado que los caballeros estaban en el mundo para luchar contra los infieles y proteger a los débiles, a los campesinos que trabajaban para ellos porque ellos los defendían. Los caballeros eran los *bellatores*, por quienes los religiosos debían rezar, y que usaban armas para defender la fe de Cristo.

Era evidente que de la teoría a la práctica había un abismo. Él siempre había creído que aquellas cosas, injusticias como la de Caudry, solo las cometían los bárbaros, salvajes incivilizados como los que habían incendiado su monasterio. Pero los caballeros eran cristianos y habían sido bendecidos por la Iglesia.

«Es cierto», pensó. «El mundo se acaba. El reinado del Anticristo se acerca».

Y se desmayó.

A partir de allí, el viaje fue para él una sucesión de escenas confusas y borrosas. Recordaba vagamente imágenes de Mattius dándole de comer como si fuera un bebé. Pueblos, campos y bosques se sucedían en su mente como si fuesen todos iguales pero a la vez diferentes, sin que llegara a distinguir los paisajes que veía de los que soñaba, imaginaba o recordaba.

Aquella situación se prolongó durante un periodo indefinido de tiempo, hasta que un día lo despejó del todo un buen jarro de agua fría que alguien le volcó sobre la cabeza, dejándolo completamente empapado.

–Ya está bien de dormir, amigo –se oyó la voz inconfundible de Mattius–. Mi paciencia tiene un límite.

Michel sacudió la cabeza. Le castañeteaban los dientes. Hasta entonces no se había dado cuenta del frío que hacía, anormal para aquella época del año.

Cuando miró a su alrededor y vio el perro lobo de Mattius, se preguntó cómo había llegado hasta allí. Le vino a la memoria una breve imagen del animal corriendo tras el caballo, y Mattius aminorando la marcha para que los alcanzara; pero no habría sabido decir si lo había visto con los ojos o con la mente.

Luego vio a Mattius plantado frente a él con los brazos en jarras. Junto al juglar pastaba tranquilamente el caballo que le habían robado al caballero.

–¿Qué... ha pasado? –balbuceó Michel haciendo un esfuerzo por incorporarse.

La expresión de Mattius se dulcificó.

–Ya te dije que nunca deberías haber salido del monasterio, amigo. Sabía que no resistirías mucho tiempo la dura realidad.

Michel se levantó tambaleándose. Se apoyó en el tronco de un árbol y miró al juglar a los ojos.

–Resistiré –dijo–. Tengo que hacerlo.

Mattius exhaló un suspiro.

–¿Todavía piensas en salvar el mundo? ¿Cuándo escarmentarás?

Michel no respondió. Echó un vistazo a su alrededor. Se hallaban en un claro dentro de un espeso bosque de coníferas.

–¿Dónde estamos? –quiso saber.

–En tierras germanas. Has dormido muchos días –añadió el juglar al ver la expresión de asombro de Michel–. En dos jornadas llegaremos a Aquisgrán, así que creí necesario despertarte.

–Sí, claro –murmuró el muchacho, aún algo aturdido–. En marcha, pues.

• • •

La Germania era una tierra boscosa de caminos estrechos, donde los campesinos cultivaban las escasas tierras arrancadas a las anchas extensiones de coníferas. Michel pronto descubrió que el alemán no se parecía en nada al francés, y se sintió muy perdido cada vez que Mattius se dirigía a alguien hablando la lengua local con fluidez.

—¿Cuántos idiomas conoces? —quiso saber el monje un día.

—Este, el francés, el occitano, el castellano, el griego, el galaico, el toscano... —enumeró el juglar—. Y alguno más que me dejo, seguramente. Chapurreo un poco el turco y el árabe. Pero no sé latín. —Sonrió—. Curioso, ¿eh? El latín, esa lengua que se habla en todas partes y en ninguna.

Michel se sintió impresionado, y desde aquel día puso todo su empeño en aprender algo de alemán.

El viaje por tierras germánicas fue algo más relajado que la etapa anterior, porque tenían un caballo. Michel observó que la gente los miraba de otra forma cuando entraban en un pueblo montados sobre él. Descubrió entonces que en el mundo existía una división tajante entre los que llevaban caballo y los que iban a pie, y sintió tristeza. Los caballeros eran lo suficientemente fuertes como para ir caminando; en cambio, había ancianos que no podían casi andar, y la mayoría no tenía dinero ni nada que dar a cambio de una yunta de bueyes que tiraran de un carro de madera.

Se iniciaba ya el verano cuando divisaron por primera vez a lo lejos los tejados de Aquisgrán, la Ciudad Dorada.

Michel sintió un nudo en la garganta. Aquisgrán... Aquisgrán la Grande, Aquisgrán la Bella, la joya del Imperio, refugiada tras una imponente muralla que la protegía de todo aquel que quisiera dañarla y profanar la gran capilla donde descansaban los restos del inmortal Carlomagno.

–Nunca pensaste que llegarías tan lejos, ¿eh? –murmuró Mattius–. Me debes una. Bueno –reflexionó–, en realidad me debes varias.

Michel no respondió. Se sentía deslumbrado ante la visión de la capital del Imperio. Mattius le hizo volver a la realidad y comenzaron a descender por la ladera.

● ● ●

Una vez traspasaron las enormes murallas, Michel se dio cuenta de que Aquisgrán no difería mucho de Amiens y otras grandes ciudades. Parecía más grande y próspera, y poseía muchos palacios y casas de piedra, pero también había una gran cantidad de chozas adosadas a sus muros, viviendas de campesinos muy pobres que habían abandonado sus tierras secas para ir a la ciudad en busca de una oportunidad. Eran hombres desesperados, pero todos habían acudido a acogerse bajo la sombra del gran palacio que se alzaba en el centro de la urbe observando impasible el paso del tiempo, rodeado de casas que parecían rendirle pleitesía; encerrado entre murallas, se elevaba hacia el cielo desafiando a todos los palacios de la Tierra.

–El símbolo del poder terrenal –murmuró Michel, mientras contemplaba boquiabierto las almenas del palacio coronado por el sol poniente.

–Date prisa, chico –lo urgió Mattius–. Hemos de buscar un lugar donde dormir.

Recorrieron las calles de Aquisgrán sin mirar demasiado a su alrededor, pues ya oscurecía y era conveniente estar bajo techo cuando llegara la noche, sobre todo si uno se encontraba en una ciudad extraña. Por fin entraron en una posada de la que salía un delicioso olor a cerdo asado.

No había mucha gente en el interior. Michel se sentó en un rincón de la sala mientras Mattius negociaba con el posadero una noche de alojamiento con cena incluida a cambio de una actuación. Michel no dudaba de la capacidad de persuasión del juglar, pero le inquietaba un poco el hecho de entender solo palabras sueltas de lo que estaban diciendo.

Sintió de pronto que alguien lo miraba fijamente y se dio la vuelta con cautela. Un grupo de hombres en una mesa al fondo lo observaban y hablaban entre ellos en susurros. Michel se sintió incómodo y buscó a Mattius con la mirada, pero este estaba ocupado acondicionando con el posadero un lugar para su actuación.

Michel se aproximó a ellos. Mattius reparó en él y le sonrió. Parecía estar de buen humor.

–Todo arreglado, muchacho. Esta noche dormimos aquí y mañana podrás iniciar tus pesquisas por la ciudad.

El posadero les dirigió una mirada curiosa y le dijo algo a Mattius que Michel no entendió. El juglar asintió y respondió algo, y ambos se echaron a reír.

–Dice que hacemos una extraña pareja –dijo–. Que en Germania no es habitual ver a un monje acompañado por un juglar. Yo le he dicho que en Francia tampoco.

El posadero movió la cabeza y añadió algo mientras se alejaba.

–Tienes razón, amigo –murmuró Mattius para sí mismo–. Son tiempos extraños.

Cogió su laúd y llamó a voces a los presentes para hacerles ver que había un juglar en la sala. Michel se sentó cerca. Sabía que no habría cena hasta que el juglar terminara su trabajo; si había logrado atraer más clientes al local, el dueño sabría recompensarlo.

De modo que puso todo su empeño en tratar de comprender las baladas que cantaba; reconoció una versión del *Cantar de Carlomagno* en alemán y, para su sorpresa, escuchó a continuación un cantar sobre cierto héroe germánico llamado Sigfrido, que Mattius había aprendido el día anterior en boca de otro juglar. Michel no podía estar seguro de que su amigo lo reprodujera con fidelidad porque no conocía muy bien el idioma, pero por la música habría asegurado que era el mismo. «Solo lo ha escuchado una vez», se dijo. «¿Será cosa del diablo?».

Sus pensamientos se vieron interrumpidos por una salva de aplausos: Mattius había terminado, y Michel lo agradeció, porque se moría de hambre.

Poco después atacaban un plato de cerdo asado.

–¿Cómo has hecho para aprender tan rápido la *Balada de Sigfrido*? –preguntó Michel entre bocado y bocado–. He reconocido la música; tengo buen oído, pero, por lo visto, no tan buena memoria como tú.

–Eso es secreto profesional –replicó el juglar frunciendo el ceño–. Y tú no...

Se interrumpió al ver que un hombre fornido, con ropas de caballero y francos ojos azules, se acercaba a ellos. El perro levantó la cabeza del pedazo de carne que estaba devorando a los pies de Mattius y dirigió al extraño una mirada cautelosa.

–Buenas noches –les dijo este en francés–. Me han dicho que venís de Francia. Me llamo Jacques de Belin y soy natural de Aquitania; hace tiempo que no salgo de territorio germano. ¿Qué se cuenta de nuevo por mi tierra?

Mattius sonrió. Dar noticias era parte de su trabajo.

–Del ducado de Aquitania poco sé, amigo. Y del resto solo traigo malas noticias, por todas partes.

El aquitanio se sentó junto a ellos con gesto grave.

–Malos tiempos –declaró cuando el juglar terminó de contarle las nuevas–. No sé qué está pasando últimamente.

–*Mundus senescit* –murmuró Michel para sí mismo.

Jacques de Belin lo miró fijamente.

–¿Qué causa lleva a un joven monje a acompañar a un juglar trotamundos? Además eres de la orden de Cluny; te reconozco por los hábitos negros.

–Y vos sois caballero –indicó Michel sagazmente–. ¿Compartís mesa con un joven monje de Cluny que acompaña a un juglar trotamundos?

Jacques soltó una carcajada.

–Tienes razón –asintió–. Pero debo decir que he viajado mucho y tengo especial predilección por los juglares, sobre todo por los que cantan relatos de héroes. Tu interpretación de la *Balada de Sigfrido* ha sido magnífica –le dijo a Mattius.

Michel le dirigió al juglar una mirada de circunstancias, y este se encogió de hombros.

–También yo he viajado mucho –le dijo al aquitanio ignorando al monje–. ¿Por casualidad sois caballero del Emperador?

–Digamos que le debo homenaje, pero no pertenezco a su guardia privada.

–¿No rendisteis homenaje al duque de Aquitania? –preguntó Michel–. No entiendo mucho de estas cosas, pero...

–Él me armó caballero, y sí, le rendí homenaje hace mucho tiempo. Pero soy un segundón y tuve que dejar la casa de mi padre, el señor de Belin, en busca de fortuna. Corrí medio mundo y acabé aquí, sirviendo en la casa del Emperador, esperando algún matrimonio ventajoso. Pero ya no soy tan joven –añadió riendo y señalando las canas que blanqueaban sus sienes–, y las doncellas también escasean. Y a vosotros, ¿qué os trae por aquí?

–Encontré a este muchacho en Normandía completamente perdido –explicó Mattius–. Los húngaros prendieron fuego a su monasterio, pero él solo tenía una obsesión: llegar hasta Aquisgrán.

–Quiero ver la tumba de Carlomagno –declaró Michel–. Me han dicho que está aquí.

El juglar lo miró sorprendido. Aquello era nuevo para él. También el caballero parecía intrigado.

–Eso dicen, en efecto –replicó–. Pero son rumores. Nadie ha encontrado nunca los restos de Carlomagno. El Emperador los ha buscado por todas partes.

–Entonces, por lo menos me gustaría visitar la capilla palatina. He venido desde muy lejos solo para ver tal maravilla.

Mattius se preguntó qué habría de verdad y qué de mentira en las palabras del monje. Por su expresión, parecía que Jacques de Belin también se lo preguntaba.

–Siento decepcionarte, muchacho, pero la capilla no se puede visitar. Forma parte del palacio del Emperador, y él no permite extraños en su casa.

Michel palideció.

–Pero eso no puede ser. Hablaré con el Emperador si es necesario, pero tengo que entrar ahí.

–Te será difícil. El Emperador está de viaje. Ha ido a Roma para ver al Papa.

Michel enterró la cara entre las manos.

–¿Cuándo volverá? –quiso saber Mattius.

–Cualquiera sabe. Desde que hizo elegir como nuevo Papa a Gregorio V, las cosas en Roma no marchan como él quisiera. No es fácil que los romanos acepten a un alemán como Sumo Pontífice. Lo consideran un bárbaro.

–¿Qué queréis decir con que «hizo elegir»? –preguntó Michel.

–Hombre, todos saben que Otón III influyó notablemente en la elección del nuevo Papa. ¿No dicen que el Emperador es el brazo armado de Dios? Pues, entonces, él se considera ejecutor de la voluntad divina, y con derecho para elegir un Papa.

–¡Jesús, cómo está el mundo! –exclamó Michel.

–He oído decir que el Emperador es apenas un adolescente –apuntó Mattius.

–Diecisiete años –confirmó Jacques–. Hizo la mayoría de edad el año pasado.

–¡Jesús! –repitió Michel.

–Tu amigo parece dudar de la capacidad como Emperador de Otón III –le dijo Jacques al juglar.

Mattius no respondió. Parecía estar pensando en otra cosa. Miraba de reojo a un rincón de la sala.

–¿Conocéis a esos tipos del fondo? –susurró–. Me da la sensación de que nos vigilan.

Jacques se volvió con disimulo. Michel también miró hacia allá y el corazón le dio un vuelco: eran los mismos que los observaban al principio de la velada, mientras Mattius razonaba con el posadero.

–Llevan controlándonos desde que entramos, Mattius –murmuró–. Me dan mala espina.

–Los conozco –dijo el aquitanio volviéndose hacia Mattius y Michel–. De vista nada más. Pertenecen a una extraña cofradía que predica la llegada del Anticristo para el fin del milenio.

Michel dio un respingo y se puso blanco como la cera. Dirigió una mirada de urgencia a Mattius, pero este hizo como que no lo había visto.

–¿Y las autoridades eclesiásticas no han hecho nada? –preguntó con calma al caballero, que fruncía el ceño ante la agitación de Michel.

–¿Qué van a hacer? ¿Excomulgarlos? A esa gente le da igual. Además, no hablan mucho, y nadie ha logrado averiguar si están con el diablo o contra él. Los tratan de locos, pero yo no me fiaría de ellos. Se hacen llamar la Cofradía de los Tres Ojos, o algo así.

Michel temblaba violentamente, pero Mattius conservaba un aire tranquilo.

–¿Qué te pasa, muchacho? –inquirió el aquitanio–. ¿Ya habías oído hablar de ellos?

–A veces le dan ataques –replicó Mattius con calma–. No sabemos por qué.

Su aspecto despreocupado no consiguió engañar a Jacques.

–Vosotros sabéis algo sobre esa gente –dijo, y su voz adquiría un tono peligroso–. Si traman algo contra el Emperador o cualquier persona de esta ciudad, mi deber es averiguarlo e impedirlo. Si me ocultáis información, os la sacaré a la fuerza.

Ninguno de los dos pareció sentirse impresionado por su amenaza. Tenían otras cosas en la cabeza.

–Es necesario que entremos en la capilla como sea –urgió Michel mirando a Mattius.

Este había abandonado su expresión calmosa y ahora parecía profundamente preocupado, pero no por las palabras del caballero, sino porque su instinto le decía que no hacía falta fingir, que podían confiar en él.

–Esto está dejando de ser un juego –musitó el juglar.

El aquitanio se dio cuenta de que pasaba algo grave, y los miró con seriedad. Mattius le dirigió una mirada dubitativa. Estaba acostumbrado a relatar historias increíbles, pero nunca había esperado que nadie le creyera. Esta vez era muy diferente.

–Podemos contaros lo que sabemos –dijo con prudencia–, pero lo más seguro es que nos toméis por locos. Yo mismo no creí a Michel la primera vez.

Dado que el monje no parecía estar en condiciones de hablar, fue Mattius quien tomó la palabra y le relató a Jacques de Belin todo cuanto sabían sobre el fin del milenio.

–Yo creía que esos pergaminos eran desvaríos de un chiflado –concluyó–, pero parece ser que hay más gente que conoce las profecías. No me extrañaría que la mujer que entró en casa de mi amigo Isaac en Amiens tuviera algo que ver con esa cofradía.

El aquitanio los miró fijamente para decidir si le estaban tomando el pelo o no. Mattius sostenía su mirada con seriedad, pero Jacques se recordó a sí mismo que el juglar sabía fingir muy bien. En cambio, el muchacho estaba alterado y muy asustado. No parecía simular nada ni pretender engañarle. Esa era la única conclusión a la que podía llegar.

–Una historia extraña, la vuestra –dijo finalmente–. No puedo creeros, pero tampoco me estáis mintiendo. La única forma de averiguarlo es ver si hay algo en esa capilla o no; quizá pueda hacer algo por vosotros. ¿Os alojáis aquí? En ese caso, mañana temprano pasaré a buscaros. Tal vez podamos entrar en la capilla, ahora que el Emperador no está y se ha llevado a toda su guardia consigo.

Michel estalló en una salva de agradecimientos apresurados. El caballero se levantó sonriendo, pero con el ceño levemente fruncido.

–Nos veremos mañana, amigos –dijo rascando las orejas al perro–. Y tened cuidado.

Mattius y Michel se despidieron de él y subieron a acostarse.

–¿No deberíamos hacer turnos de guardia? –preguntó Michel, inquieto.

–Sirius cuidará de los dos –replicó Mattius señalando al perro.

Michel asintió, más tranquilo. El animal parecía más grande y terrible a la vacilante luz de la lámpara.

El muchacho se acostó en su jergón y no tardó mucho en dormirse, a pesar de la excitación que le producía encontrarse por fin en Aquisgrán. En la otra cama, Mattius no fue tan afortunado. No dejaba de darle vueltas a la nueva información sobre la cofradía. Todavía no se atrevía a plantearse en serio la teoría del fin del mundo, pero, por lo visto, había más gente además de Michel que sí lo hacía. Y eso podía llegar a ser peligroso, aunque no sabía hasta qué punto.

●　●　●

Michel se despertó de madrugada sobresaltado; en su confusión, distinguió los ladridos del perro, y se incorporó parpadeando. A la tenue luz de la luna que entraba por la ventana, distinguió cuatro sombras: tres de ellas eran humanas y forcejeaban entre sí. La cuarta era la del perro, que saltaba de un lado para otro intentando morder algún miembro.

–¿Mattius? –murmuró el muchacho.

Oyó un grito de dolor, pasos apresurados... Todo fue muy confuso hasta que la puerta se abrió y entraron el posadero, armado con un bastón, y su mujer, que portaba una vela cuya luz bañó el cuarto descubriendo a Michel una escena terrible.

Los extraños eran dos de los hombres que los habían vigilado disimuladamente durante la cena. Uno de ellos se retorcía de dolor en el suelo, mientras el perro le mordía una pierna bañada en sangre. El otro bregaba con Mattius.

Con la llegada del posadero, todos se detuvieron un brevísimo instante, pero el que no estaba herido echó a correr, apartó al posadero de un empujón y salió huyendo. El primero en reaccionar fue el perro, que, sabiendo que su víctima no se iba a levantar, la abandonó en el suelo para ir en pos del fugitivo. Sus ladridos atronaron toda la posada.

–¿Qué... qué...? –balbuceó Michel.

Mattius se secó el sudor de la frente y dio una rápida explicación a los dueños de la casa. La posadera ahogó una exclamación consternada mientras su marido, rezongando por lo bajo, asestó un estacazo al atacante herido, como para rematarlo. La posadera le entregó la vela y salió apresuradamente del cuarto.

–Mattius, ¿qué pasa? –preguntó Michel, muy nervioso.

El juglar se volvió hacia él.

–Menos mal que dormías como un bendito –comentó–. Han intentado matarnos.

–¿Qué... qué...? –repitió Michel, blanco como la cera.

–Deja ya de cacarear. Como no haya nada en la capilla, voy a ser yo el que te mate.

La mujer volvió con una soga, y Mattius y el posadero ataron de pies y manos al herido, que gemía débilmente.

Michel no entendió gran parte del interrogatorio, porque fue en alemán, pero Mattius le explicó después que aquellos hombres intentaban impedir que reunieran los tres ejes y evitaran el fin del mundo. El reinado del Anticristo estaba cerca, y era él quien debía recoger los ejes en el día de su advenimiento.

El posadero estaba consternado. Mattius rio y le dijo que se las estaban viendo con un pobre chiflado. Esta explicación pareció convencerle y aliviarle.

Se llevaron al cofrade casi a rastras y lo dejaron atado en el trastero para entregarlo al día siguiente a las autoridades. Con todo, y a pesar del regreso del perro minutos más tarde, visiblemente satisfecho con un jirón de las calzas del fugitivo entre los dientes, Michel no pudo pegar ojo en toda la noche.

Se levantó al alba, pálido, ojeroso y entumecido, y despertó a Mattius de un sueño nervioso y poco reparador. Cuando bajaron a desayunar, el posadero los recibió hablando con excitación: de alguna manera, el prisionero se había escapado.

–Dice que es cosa del diablo –tradujo Mattius–, porque estaba muy bien atado y la puerta ha permanecido atrancada toda la noche.

Michel palideció. Mattius lo notó.

–¿No lo creerás en serio?

–No sé, Mattius. Esa gente adora al Anticristo. Quién sabe si él no los ayuda.

Mattius se quedó mirándolo, pensativo, pero no dijo nada.

Terminaban el tazón de leche cuando entró Jacques de Belin. Atropelladamente, Michel le contó lo sucedido la noche anterior. Por el rostro del caballero cruzó una sombra de preocupación.

–Os habéis metido en un buen lío –les dijo–. De algún modo habéis entrado en su territorio, y parece que eso no les gusta.

–Pues yo no voy a echarme atrás –replicó Mattius en tono sombrío–. Esto ya se ha convertido en un asunto personal.

Jacques asintió. Estaba de acuerdo con él.

Salieron de la posada y se encaminaron hacia el palacio.

–He hablado con el capellán –les contó el aquitano–. Le he dicho que el joven monje tenía una promesa que cumplir. Le dejará entrar en la capilla por unos minutos. Pero a ti...

–Creo que Michel no me necesita para encontrar lo que busca –lo tranquilizó Mattius–. No hace falta que entre yo también. Sin embargo, temo que los de la cofradía intenten atacarlo otra vez. Me haríais un gran favor si vos lo acompañarais.

–No tengo ningún inconveniente.

Entraron en el recinto del palacio, compuesto por distintos edificios: viviendas para criados, caballerizas, almacenes, cocinas..., y se dirigieron hacia la construcción principal. No llamaban mucho la atención porque iban acompañados por el caballero Jacques de Belin. De todas formas, el Emperador estaba ausente, todo se veía muy tranquilo y la vigilancia era mínima y relajada.

Entraron en el edificio principal del palacio. Atravesaron amplias salas y largos pasillos hasta salir de nuevo al exterior. Pasado un pequeño jardín, adornado con varias piezas artísticas traídas de distintos reinos, había un pórtico, y tras él estaba la iglesia palatina.

–Es altísima –comentó Michel mirando boquiabierto hacia arriba.

–Pues espera a ver el interior.

Se acercaron a la puerta. El caballero llamó enérgicamente, mientras Michel examinaba un adorno con forma de cabeza de león esculpido en la puerta. Mattius se le quedó mirando. El muchacho fruncía el ceño y asentía para sí mismo, casi como si lo hubiese reconocido. El juglar decidió no preguntar.

El capellán les abrió minutos después. Mantuvo una corta conversación con Jacques mientras estudiaba a Michel de arriba abajo. El chico se removió, incómodo, pero procuró no perder su sonrisa cortés.

Finalmente, el sacerdote hizo una seña a Michel para que entrara con él.

–Sirius y yo esperaremos aquí fuera –dijo el juglar, y el caballero asintió y fue tras ellos.

La puerta se cerró.

–Bueno –dijo Mattius rascando las orejas del perro–, al menos la hemos visto por fuera.

● ● ●

Dentro, Michel no dejaba de mirar a todas partes.

La capilla palatina tenía forma octogonal y estaba cubierta por una alta cúpula. Los suelos de mármol, las paredes doradas, los arcos y los mosaicos relucían con un brillo propio, poderoso y desafiante.

–Qué maravilla –murmuró.

El capellán adivinó lo que había dicho y sonrió con orgullo, aunque miraba a Michel con cierto desprecio. El muchacho se preguntó por qué.

De pronto reparó en el tema que representaban los mosaicos: el Apocalipsis. Se lo indicó a Jacques de Belin con un gesto. El caballero asintió gravemente.

–¿Qué vas a hacer ahora?

–Los pergaminos dicen que el Eje del Presente está custodiado por un hombre que tuvo el poder en una mano y la sabiduría en la otra. El ermitaño lo vio habitando en algún lugar de esta capilla, durmiendo. Siempre durmiendo.

–¿Durmiendo...? –Jacques estaba estupefacto–. Eso es absurdo. Y nadie habita esta capilla a no ser... –se quedó parado un momento, sin terminar de creerlo–. ¿Carlomagno? ¿Pretendes mirar en la sepultura de Carlomagno? No estás bien de la cabeza, muchacho. Ni siquiera sabemos dónde está.

–¿Tampoco lo sabe el capellán? –insistió Michel, y se volvió para preguntárselo, pero se encontró con que ya no estaba allí.

–¡Qué extraño! –murmuró el caballero, y lo llamó.

Su voz se perdió retumbando por las paredes. Nadie respondió.

–No es normal –dijo–. No puede habernos dejado solos aquí. Voy a ver si ha subido al piso de arriba.

Se alejó en busca del capellán, mientras Michel seguía examinando los mosaicos.

Imágenes terribles. Monstruos, dragones y los cuatro jinetes que portaban los males del mundo para extenderlos en mayor proporción. Dolor, ruina y muerte.

Michel se estremeció. Cuando miró a su alrededor, Jacques ya se había marchado. Se encogió de hombros. Ahora tenía mayor libertad para buscar la tumba de Carlomagno.

Mientras, Jacques recorría la iglesia. Subió la escalera de caracol hasta el nivel superior y buscó por allí, pero no había ni rastro del capellán. Entonces tuvo una súbita sospecha y miró hacia abajo desde la barandilla. No vio a Michel en el lugar donde lo había dejado.

Imaginó que estaría por el deambulatorio, y volvió sobre sus pasos para reunirse con él.

El joven monje había descubierto una cabeza de león esculpida en bronce en la pared, como la de la puerta, y la examinaba atentamente. No tenía ninguna función aparente y no había ninguna otra cerca, por lo que no armonizaba demasiado con el conjunto. Colocó la mano sobre ella. No tenía mucho relieve y era más o menos igual de grande que su palma extendida. Los pergaminos de Bernardo de Turingia describían algo semejante.

De pronto sintió una respiración tras él y se le puso la piel de gallina. Se apartó instintivamente.

Por la capilla palatina resonó un grito.

* * *

Mattius, desde el exterior, lo oyó. Su perro ladró y arañó la puerta con las patas delanteras.

—El chico tiene problemas —murmuró, y sacó una pequeña daga de su morral para forzar la cerradura.

No tardó mucho, y cuando entró no se detuvo para contemplar la maravilla arquitectónica carolingia.

—¡Michel! —gritó, y el eco le devolvió el nombre de su amigo multiplicado varias veces.

Nadie le contestó, pero él siguió a Sirius, que parecía saber muy bien adónde iba. El eco de sus ladridos lo hacía parecer una jauría entera corriendo por la iglesia palatina de Aquisgrán.

Mattius lo perdió pronto de vista. Se guio por sus ladridos y se reunió con Michel y Jacques de Belin un poco más allá. Junto a ellos, en un charco de sangre, en el suelo, yacía el capellán.

–¿Qué ha pasado?

–Me atacó –respondió Michel señalando al sacerdote–. Con un puñal, a traición y por la espalda.

–Llegué justo a tiempo para salvarlo –gruñó el caballero; fue entonces cuando Mattius descubrió que tenía la espada bañada en sangre.

–¿Habéis matado a un sacerdote en una iglesia? –el juglar no se lo creía–. ¡Eso es profanación!

–Profanación era lo que hacía él aquí –replicó el aquitanio, malhumorado–. Era un adorador del diablo.

Levantó la manga del hábito del capellán con la punta de la espada. Mattius vio que llevaba un círculo con tres ojos tatuado en la piel del brazo.

–Dejadme adivinar: el símbolo de la cofradía.

–Es un asunto grave –dijo el caballero–. Hasta el mismísimo capellán de este santo lugar pertenece a esa secta. No sé cómo...

Se interrumpió cuando un chirrido resonó por la sala. Michel se apartó de un salto: había estado manipulando el adorno de bronce con forma de cabeza de león.

Una losa se abrió en el suelo, dejando libre el paso hacia una especie de catacumba a la que se accedía por una estrecha escalera. Un fuerte olor a cerrado inundó la capilla.

–¿Qué es eso? –preguntó Mattius.

–No podría asegurarlo –respondió Michel–, pero diría que es la tumba de Carlomagno.

–¡Espera! –Mattius lo retuvo por los hábitos cuando ya bajaba las escaleras–. ¿Y para qué quieres entrar ahí?

–Cree que dentro puede estar lo que anda buscando –explicó Jacques.

Mattius se quedó pensativo.

–¿En serio? Pues, en cualquier caso, necesitarás una luz, ¿no?

Michel se detuvo en mitad de la escalera cuando, efectivamente, la oscuridad ya era impenetrable. Volvió a subir.

Mattius revolvía en su macuto en busca de un cabo de tea que siempre llevaba encima, por si acaso. Cuando lo encontró, Michel le ayudó a encenderlo con ayuda de un pedernal.

El caballero los miraba boquiabierto.

–Estáis locos.

–No lo creo –replicó el juglar–. Eso de ahí abajo debe de ser condenadamente importante si hay alguien dispuesto a matar y a morir por ello.

El aquitanio consideró la respuesta mientras Michel y Mattius bajaban la escalera.

–¡Esperad! –dijo, y fue tras ellos–. No quiero perdérmelo.

Llegaron a una cripta húmeda y pequeña. Un único sarcófago ocupaba su centro.

–Demasiado limpio para llevar tanto tiempo cerrado –observó el juglar–. Sospecho que ese sacerdote conocía ya la existencia de este lugar.

Michel se acercó a ver lo que decían las letras doradas de la tapa de mármol:

–*Carolus Magnus Imperator* –leyó–. Hemos dado en el clavo.

Mattius se acercó, intimidado. Ahora Michel era el valiente y él el que dudaba.

–¿Qué haces? –exclamó Jacques viendo que el monje pretendía levantar la tapa–. ¡Ese hombre lleva por lo menos trescientos años muerto!

–Ciento ochenta y tres, para ser exactos –replicó Michel sin inmutarse.

–¿Se te ha ocurrido pensar que tal vez el eje no sigue ahí? –dijo Mattius suavemente–. Los de la cofradía conocen este sitio.

–En tal caso no habrían intentado evitar que entráramos –razonó Michel–. Anda, échame una mano.

Mattius se sentía como hechizado. Ayudó al muchacho con la pesada losa sin decir palabra.

El caballero dio un paso atrás.

–Esto es una profanación –dijo–. Al Emperador no le va a gustar.

La tapa se movió unos centímetros. Mattius y Michel insistieron.

–¡Dejadlo ya, os lo ordeno! –aulló Jacques; quiso acercarse a ellos, pero el perro le vio las intenciones y se interpuso, gruñendo por lo bajo.

El caballero se llevó la mano a la empuñadura de la espada; el animal gruñó con más fuerza y el hombre se vio obligado a apartarla del arma.

–¡Ya! –dijo Michel.

Aunaron esfuerzos y dieron un último empujón. La losa se deslizó del todo.

–¡Qué horror! –exclamó Jacques de Belin, espantado.

Pero en los rostros de Mattius y Michel no había asco, sino asombro y temor.

–Está vivo –musitó el monje, muerto de miedo.

Jacques se acercó a mirar y se le cortó la respiración.

Carlomagno reposaba intacto en su sepultura, como si no hubieran pasado los años por él, como si simplemente estuviera durmiendo o inconsciente, y conservaba el porte regio incluso en aquella situación. Su rostro no presentaba ningún rictus de dolor, sino una serena calma. Sobre su pecho descansaba una cruz de oro que sujetaba con ambas manos. La barba castaña seguía cuidadosamente peinada; una fina diadema de oro y piedras preciosas ceñía su frente.

Mattius se atrevió a tocarle el cuello por si le encontraba pulso. Lo hizo cautelosamente, como si temiera que el cuerpo abriera de pronto los ojos y lo maldijera por profanar su tumba. Michel dio un paso atrás. Hubo un pesado silencio que al joven monje se le hizo eterno. El corazón les latía a los tres con fuerza.

Pero Carlomagno no despertó.

–Está muerto –concluyó el juglar.

–Entonces es un milagro –declaró el caballero santiguándose.

–O quizá este no sea Carlomagno.

–No puede ser. Nadie ha entrado aquí en mucho tiempo.

–¿Ni siquiera ese capellán?

–Mirad –intervino Michel–. Lo hemos encontrado. Lleva puesto el Eje del Presente.

Los dos se inclinaron de nuevo sobre el sepulcro para ver lo que señalaba el monje: prendida en los caros ropajes del Emperador, había una joya de oro con forma de ojo, forjado en una finísima filigrana. En el centro, a modo de pupila, relucía una piedra de un color tan extraño que ninguno de los tres habría podido identificarlo. Mattius se dijo que seguramente se debía al efecto de la luz sobre la antorcha. De todas formas, a él le parecía que presentaba cierto tono rojizo.

–¿Y ahora qué hacemos?

–Habrá que quitárselo –dijo Michel, pero no se movió.

–No podemos saquear el cuerpo del Emperador –replicó el aquitanio con un temor respetuoso–, o su espíritu nos perseguirá durante el resto de nuestras vidas.

–Pero el eje no le pertenece. Es preciso que lo cojamos, porque debemos reunirlos todos cuanto antes.

Antes de que Jacques pudiera decir nada, Michel alargó la mano y cogió el eje. Lanzó un grito de dolor y retiró el brazo.

–¿Qué ha pasado?

–Es la piedra –murmuró el monje frotándose la mano magullada–. Está ardiendo.

Mattius también había palidecido bajo la luz de la antorcha. Sirius gruñía por lo bajo, inquieto.

–Pero esta vez no la tocaré –añadió Michel.

Alargó de nuevo la mano y cogió la joya por el engarce dorado. Se desprendió con facilidad.

Mattius se sacó rápidamente del cinto un saquillo vacío, en el cual Michel introdujo el Eje del Presente.

–Aún tenemos tiempo –murmuró.

–Este es el día más increíble de toda mi vida –musitó Jacques, pasmado.

Mattius volvió a la realidad.

–Ya tenemos lo que querías, muchacho. Ahora, más vale que salgamos de aquí antes de que alguien nos encuentre.

Caminó hacia la losa de mármol para tapar el sepulcro, pero oyó un chasquido tras él y se volvió.

Michel emitió un grito de horror. Jacques retrocedió unos pasos, pálido como un muerto. Mattius siguió la dirección de su mirada y se sintió desfallecer. Tuvo que apoyarse en la húmeda pared de piedra, y casi dejó caer la tea.

El cuerpo del emperador Carlomagno se estaba descomponiendo a una velocidad vertiginosa, como si todos los años que no habían pasado por él desde su muerte lo atacaran ahora sucediéndose en unos breves segundos.

Era un espectáculo espantoso y grotesco, y Michel sintió náuseas. Dio media vuelta y cerró los ojos.

Cuando los abrió y se atrevió a echar un vistazo, los restos de Carlomagno se reducían a unos tristes huesos vestidos con jirones de ropas polvorientas. Lo único que no había cambiado eran las joyas, la diadema y la cruz de oro.

–¿Quién dijo que la riqueza es efímera? –musitó Mattius.

Jacques se apoyó en la pared, esforzándose por no vomitar.

–Era el eje lo que lo mantenía intacto –dijo Michel–. Su poder es inmenso.

–En tal caso –dijo el caballero–, quizá no debería custodiarlo alguien tan joven como tú.

–No estoy de acuerdo –discrepó Mattius–. No conozco a nadie mejor que Michel. Cualquier otro querría aprovecharse del poder de esa... de esa cosa. Él solo habla de salvar el mundo.

El aquitanio no respondió. Probablemente pensaba que, si discutía con Mattius, tendría que arrebatarle el eje. Y no le hacía ninguna gracia la idea de tocarlo.

–Vámonos de aquí –dijo el juglar–. Me estoy poniendo enfermo.

Jacques no podía estar más de acuerdo en este punto, de modo que le ayudó a colocar la tapa en su sitio. Entre los dos cubrieron de nuevo los restos del inmortal Carlomagno.

Salieron de la cripta en silencio. Una vez fuera, sin una palabra, Michel volvió a girar la cabeza del león de bronce. La losa volvió a su sitio con un chirrido.

Michel, Jacques y Mattius cruzaron una mirada. Nadie dijo nada, pero todos tenían un mismo pensamiento: salir de allí cuanto antes.

Michel evitó mirar el cuerpo del capellán, que aún yacía junto a la losa. Tampoco contempló de nuevo los mosaicos que adornaban la capilla. Solo se sintió mejor cuando salió al aire libre y pudo respirar profundamente. Parecía que sus compañeros, incluido el perro, agradecían también el cambio de ambiente.

–No tardarán en encontrarlo –dijo Mattius refiriéndose al capellán–. Debemos marcharnos cuanto antes.

A Michel le pareció una idea magnífica, pero el aquitanio no se movió.

–Marchaos vosotros –dijo–. Yo me quedo.

Mattius se volvió hacia él.

–¿Vos no vais a acompañarnos?

–Alguien debe explicar lo que ha pasado, y a mí me creerán. No les hablaré de vosotros. Simplemente les diré que el capellán pertenecía a esa extraña secta, y que lo pillé a punto de saquear la tumba de Carlomagno. Me atacó y yo solo me defendí.

–¿Vais a mentir por nosotros?

–La verdad resultaría más increíble que la mentira. Si lo que dicen esos pergaminos es cierto, y hasta ahora no han dicho nada que no lo fuera, es mejor ocultar a Otón la existencia del eje. Es muy ambicioso.

–¿Nos encubriréis, entonces?

–No veo por qué no. Además, hemos encontrado la tumba de Carlomagno. El joven Emperador llevaba meses buscándola. Cuando regrese de Roma le mostraré el lugar, y seguro que me recompensará...

–Con un matrimonio ventajoso –completó el juglar con una media sonrisa–. Buena suerte, pues. Os agradezco todo lo que habéis hecho por nosotros. Sois un buen hombre.

El caballero lo miró sorprendido; no era habitual que un plebeyo osara juzgar a un noble de aquella forma. Pero Mattius no se estaba burlando.

–Viniendo de él es todo un halago –explicó Michel–. No suele confiar en la gente.

–Eres muy peculiar –comentó el aquitanio, pero Mattius se limitó a encogerse de hombros.

● ● ●

Se despidieron de Jacques de Belin con un extraño peso en el corazón. Ni siquiera Mattius pensaba volver a Aquisgrán. La experiencia de la cripta había sido demasiado turbadora como para que quisiera recordarla.

Ninguno de los dos pronunció palabra mientras caminaban por las calles de la ciudad de vuelta a la posada. Finalmente, Mattius rompió el silencio.

–Hasta ahora, todo lo que decía tu ermitaño ha resultado ser cierto –dijo–. Estoy empezando a creer que realmente el mundo se acabará en el año mil.

–Y la idea resulta aterradora, ¿verdad?

El juglar miró a Michel fijamente. Sí, estaba asustado, pero no lo dijo. De todas formas, el muchacho sabía cómo se sentía; él había pasado ya por ello.

–¿Qué vamos a hacer ahora?

Michel suspiró.

–Según los pergaminos, he de seguir el camino de las estrellas hasta el fin del mundo. Me temo que no sé lo que significa.

–¿El camino de las estrellas, has dicho? ¿Qué más sabes?

–Bernardo de Turingia vio a mucha gente recorrer ese sendero. Todos con una extraña ilusión en el corazón. Muchas generaciones, una detrás de otra. Se guiaban por las estrellas. Iban hacia un lugar sagrado, y sus almas estaban llenas de esperanza.

–Hay una ruta de peregrinos que recorre el norte de la península Ibérica hasta Santiago de Compostela. Quizá sea eso lo que buscas.

–¡Santiago de Compostela! –repitió Michel–. ¿Es allí donde está enterrado el Apóstol?

–Eso dicen. Es un viaje muy largo, amigo. ¿Estás seguro de que quieres ir?

Michel asintió solemnemente.

–Si no lo hago yo, ¿quién lo va a hacer? Ya has visto que hasta los caballeros lo consideran una tarea inmensa. De todas formas, Mattius, no tienes por qué acompañarme si no quieres. Puedo seguir yo solo.

–No. No puedes. No sabes lo que estás diciendo.

Michel se le quedó mirando.

–¿Tienes intención de acompañarme? Tú mismo has dicho que es un viaje muy largo.

Mattius se detuvo en medio de la calle para plantearse en serio la posibilidad de ir con Michel hasta Santiago.

–No pasa nada –dijo el monje suavemente–. Sé desenvolverme mejor que cuando te conocí.

Mattius lo miró de nuevo. Michel había madurado, era cierto, y le sostenía la mirada con una seriedad de adulto. El viaje le había fortalecido y ya no parecía tan niño.

Pero Santiago estaba lejos. Muy lejos. El invierno lo sorprendería antes de alcanzar los Pirineos. Y, por lo que Mattius sabía, el Islam llegaba cada vez más al norte en sus incursiones por tierras cristianas.

–Caramba, muchacho –murmuró–. Son malos tiempos para viajar solo.

Michel sonrió, conteniendo un grito de alegría.

LIBRO II:
EL EJE DEL FUTURO

Año 998 d.C.
Ruinis crescentibus

La posada de Alfredo el Buey –llamado así debido a su gran masa muscular– estaba situada en una céntrica calle de la ciudad de Astorga, en León. Michel, Mattius y su perro habían llegado el día anterior, a tiempo para unirse a la celebración de una fiesta local. Mattius había recitado con gran éxito un cantar de gesta relacionado con cierto héroe castellano llamado Fernán González. El juglar dominaba el idioma del lugar con fluidez, y Michel podía enorgullecerse de haberlo aprendido bastante bien en el tiempo que llevaban de viaje por tierras hispánicas.

La caminata había sido en ocasiones entretenida, en ocasiones muy dura. Habían atravesado tramos muy difíciles, y viajar por Occitania en invierno no había sido agradable, obligados a detener la marcha constantemente por culpa de las nevadas. Les había costado medio año llegar a los Pirineos, pero una vez allí, como era pleno invierno, habían tenido que esperar al deshielo para cruzar la cordillera. Ahora el tiempo acompañaba y el viaje era más sencillo. Llevaban cerca de dos meses de viaje por el Camino, y estaba ya entrando el verano. Habían elegido la ruta más al norte para sortear el posible peligro de las incursiones musulmanas, y ello les había permitido visitar parajes naturales de una belleza inusitada: verdes campos, bosques recubiertos de helechos, impetuosos torrentes y crestas de jóvenes montañas se habían mostrado ante sus ojos. La hospitalidad de la gente hispánica seguía siendo proverbial, sobre todo en el Camino, donde, por lo visto, se decía que traía mala suerte no acoger a un peregrino. Habían conseguido otro caballo en Occitania y ello había hecho más fácil y rápido el viaje, aunque los auténticos peregrinos, los que iban a pie, los miraban con una ligera mueca de reprobación.

Quedaban pocas jornadas para alcanzar Santiago. Corría el rumor de que Al-Mansur había llegado allí con sus huestes unos meses antes, pero Michel dudaba que fuera cierto. Compostela era un lugar sagrado y, además, la gente seguía acudiendo a adorar el sepulcro del Apóstol. En el improbable caso de que el Islam hubiera alcanzado la ciudad, los restos del santo no seguirían allí.

Tumbado sobre el jergón en la posada, Michel vio a través del ventanuco cómo nacían las luces de un nuevo día.

La noche anterior, la fiesta había proseguido en la taberna hasta mucho después del anochecer. Incluso Mattius se había dejado llevar por la alegría de la celebración; solo Michel había permanecido aparte, serio.

Se levantó lentamente. Habían tenido suerte con la posada; a pesar de que en los últimos tiempos había gente que daba crédito a la profecía del Apocalipsis sobre el año 1000 y seguía el Camino para ganarse el perdón divino, los rumores sobre un ataque musulmán a Santiago habían reducido la afluencia de peregrinos y solía haber sitio para dormir.

Se lavó la cara con el agua de la palangana y volvió a ponerse el hábito, bastante gastado y raído.

El perro, encantado de que alguien se hubiera puesto en movimiento por fin, se le metía entre las piernas. Michel dirigió una mirada a su dueño, que no había hecho el menor movimiento, y suspiró. Mattius seguía durmiendo la borrachera. El muchacho se preguntó si debía despertarlo. Si lo hacía, probablemente el juglar no le pondría muy buena cara. Si lo dejaba dormir, se levantaría para la hora de comer.

Ya estaba pensando qué podría hacer todo aquel tiempo, cuando Sirius decidió por él: con un gozoso ladrido, se lanzó sobre el dormido Mattius.

El juglar dejó escapar una exclamación ahogada, gruñó algo y trató de sacarse de encima al animal a base de manotazos. El perro los esquivó todos, creyendo que era un juego. Finalmente, Mattius se incorporó, pálido y ojeroso, con aspecto de estar sufriendo una terrible resaca.

–Buenos días –saludó Michel.

Mattius contestó con un gruñido. Se frotó la frente, emitió un débil gemido y miró a su alrededor.

–Eh –dijo–. ¿Estás recogiendo ya? ¿Pretendes que nos marchemos tan temprano?

–Siempre lo hemos hecho.

–Bueno, pero…

No llegó a terminar la frase. Sabía que Michel tenía razón. Habían perdido un tiempo precioso en los Pirineos esperando la llegada de la primavera para que los pasos estuvieran transitables. Ahora procuraban no retrasarse más.

Se levantó cuando Michel salía de la habitación.

–Te espero abajo.

Mattius asintió.

Bajó las escaleras un poco más tarde, aferrándose bien a la barandilla. El posadero le dirigió una mirada seria.

–Estoy bien –dijo el juglar haciendo un gesto despreocupado.

–No se trata de eso, amigo –replicó Alfredo el Buey–. Tengo que hablar contigo.

Mattius se le acercó, intrigado.

–Anoche, mientras tú cantabas y vociferabas bebiendo un vaso de cerveza tras otro, se me acercó un tipo y empezó a hacerme preguntas sobre ti y ese monje.

Mattius era todo oídos.

–¿Qué clase de preguntas?

–Al principio, las típicas: si erais peregrinos, si ibais a Santiago... Después quiso saber si viajabais solos y si teníais algún tipo de arma.

–¿Crees que tiene intención de robarnos?

–Me extrañaría mucho. Iba bien vestido. Me dijo que estabais fuera de la ley y que os perseguía, pero, sinceramente, creo que mentía. Ese monje es incapaz de matar una mosca, y tú no pareces un ladrón. En realidad fue él quien me dio mala espina. Un tipo grande, con una espesa barba de color castaño. Castellano, por el acento. Diría que es un caballero, pero quizá no muy importante. ¿Por casualidad alguno de vuestros caballos es suyo?

–No tengo ni la más remota idea de quién puede ser, y los caballos vienen de lejos, así que no creo que tenga nada que ver con ellos.

Alfredo el Buey asintió, ceñudo.

–De todas formas, tened cuidado con él.

–Lo haremos. Muchas gracias por la advertencia.

–De nada, hombre. Contigo aquí anoche hice un buen negocio. Hubo mucha gente que se quedó solo por oírte cantar. En cambio, ese otro hombre me pareció bastante desagradable.

Mattius reiteró sus agradecimientos y salió de la posada, pensativo. Fuera, Michel había preparado los caballos y los abrevaba en la fuente de la plaza. Mattius sonrió a pesar del dolor de cabeza y de las preocupantes noticias. El joven monje aprendía rápido, y no parecía en absoluto aquel muchacho temeroso que había recogido en Normandía. De todas formas, decidió no contarle, por el momento, lo que Alfredo el Buey le había dicho.

Astorga despertaba con los primeros rayos de la aurora. Un día más, las mujeres salían de sus casas para llenar el cántaro de agua. Un joven de la edad de Michel conducía un rebaño de vacas por las calles de la población. A cambio de unas monedas, le dio a cada uno un tazón de leche fresca, llamándolos «señores». Mattius hizo una mueca. El tratamiento se debía a que ellos llevaban caballo y el muchacho iba a pie, pero no terminaba de acostumbrarse. Si no hubieran tenido tanta prisa, le habría regalado los animales, o los habría vendido en la primera feria que hubiera encontrado. Al fin y al cabo, no le habían costado nada; uno se lo habían robado a un caballero en Caudry, y el otro lo habían encontrado vagando por el bosque, escapado quizá de las caballerizas de algún monasterio en llamas.

Mattius se encogió de hombros y espoleó a su montura. Aquel había sido un formidable golpe de suerte. «Dios nos ayuda», había dicho Michel. Mattius no había respondido. Desde el principio se había preguntado qué papel jugaba Dios en todo aquello.

Salieron de nuevo al Camino. Tardarían aún una semana en llegar a Santiago, pero el paisaje era cada vez más bello y salvaje. Mattius apartó las preocupaciones de su mente y decidió disfrutar del viaje.

● ● ●

En los días siguientes, el juglar empezó a tener la desagradable sensación de que alguien iba tras ellos. No se lo dijo a Michel para no alarmarlo porque, además, no sabía si realmente lo presentía o se trataba solo de temores nacidos de las advertencias de Alfredo el Buey.

Tampoco sabía quién podría ir tras ellos, ni por qué. «Si fueran ladrones, ya nos habrían tendido alguna emboscada», pensaba con inquietud; pero la idea de que la cofradía los seguía desde Aquisgrán era descabellada. Habían salido de la capital del Imperio rápidamente, sin apenas detenerse, hasta que el invierno los había obligado a retrasar la marcha. Habían estado mucho tiempo parados al pie de los Pirineos. Ciertamente, podrían haberlos alcanzado. Pero, según Alfredo el Buey, el hombre que los seguía era castellano, no alemán ni francés. Resultaba difícil creer que la Cofradía de los Tres Ojos hubiera sobrepasado los límites de Aquisgrán y tuviera seguidores más allá de los Pirineos.

Pero, en el caso de que así fuera, Mattius y Michel les habían robado el Eje del Presente. Si de veras había miembros de la Cofradía de los Tres Ojos en la península Ibérica, tenían bastantes motivos para interceptarlos.

Entonces, ¿por qué no los habían atacado en la posada? Claro, se dijo Mattius con una sonrisa. El perro. Probablemente no querían enfrentarse a otro fracaso como el de Aquisgrán.

Por más vueltas que le daba, no conseguía terminar de entender qué estaba pasando. Pero, por si acaso, decidió actuar con cautela.

Pese a que el juglar se guardó sus sospechas para sí, Michel intuyó que sucedía algo. No andaban excesivamente bien de dinero y, aun así, Mattius insistía en pernoctar en las aldeas en lugar de hacerlo en el bosque. Hacía mucho que no dormían a cielo abierto. El muchacho se abstuvo de preguntar, pero adivinó que corrían algún tipo de peligro, y redobló sus precauciones.

Así, una noche sorprendió a Mattius diciendo:

–Ese hombre viene siguiéndonos desde Astorga.

Señaló con una mirada disimulada a un individuo fornido que acababa de entrar en la taberna. Lucía una tupida barba de color castaño, y sus penetrantes ojos negros, que recorrían la estancia con un brillo inquisidor, se detuvieron en ellos un brevísimo instante; si los había reconocido, no lo demostró.

Mattius no recordaba haberle visto nunca.

–¿Estás seguro?

–Completamente. Estaba en la posada de Alfredo el Buey la noche de la fiesta. Aunque probablemente no lo recuerdes. No se puede decir que estuvieras en muy buenas condiciones...

Mattius no se inmutó ante el tono de reproche.

–Hay muchos peregrinos que siguen la misma ruta que nosotros.

–Pero suelen viajar en grupos. A este no lo he vuelto a ver desde Astorga, y es obvio que ha seguido nuestro mismo camino. ¿Por qué se ocultaba de nosotros?

Mattius volvió a mirar. Fue entonces cuando descubrió que el recién llegado se ajustaba a la descripción que le había dado el posadero de Astorga.

–Puede que tengas razón... –Su mirada se cruzó entonces con unos ojos verdes que llevaban un buen rato clavados en él–. Oye, Michel, ¿no te parece que la criada también mira mucho para acá?

–Te mira a ti, Mattius. ¿Qué tiene de especial? Sabes que es lo habitual. Llamas la atención entre las mujeres.

Mattius negó con la cabeza. Estaba acostumbrado a que las mozas le miraran, pero los ojos de aquella parecían estar estudiándolo, no admirándolo. Tenía cierta expresión pensativa y calculadora, y el juglar se sintió incómodo.

–Me da mala espina.

Como si lo hubiera oído, la muchacha dejó su puesto junto a la barra y se acercó a ellos.

–Buenas noches –dijo en castellano, aunque con un fuerte acento gallego–. Me han dicho que eres juglar.

Mattius la miró. Tendría unos diecisiete años. El cabello castaño le enmarcaba un rostro travieso en el que brillaban unos profundos ojos verdes con una chispa de malicia.

Se sentó junto a ellos tras comprobar que el posadero estaba entretenido hablando con el recién llegado y no la miraba.

–Me han dicho que eres muy bueno en tu oficio; que te has hecho famoso en tu tierra.

–Eso dicen –respondió Mattius con cierta cautela.

La muchacha le miró a los ojos.

–Llévame contigo –le pidió–. Quiero aprender tu oficio. Quiero ser juglaresa.

Michel se quedó boquiabierto ante semejante descaro. En una mujer, aquel era el colmo de la desvergüenza.

Incluso Mattius se había quedado pasmado. Cuando se recuperó de la sorpresa, su semblante adquirió una seriedad severa.

–¿Qué va a decir tu padre? –preguntó señalando al posadero con el mentón.

–Ese no es mi padre –dijo ella con cierta aversión–. Solo mi padrastro.

–Pero, aun así...

–Escucha –la chica apoyó una mano sobre el brazo de Mattius, con urgencia–: Tengo que marcharme de aquí. Muy lejos. Cuanto antes. Han concertado mi boda sin mi consentimiento. Quieren casarme con un hombre al que yo no amo.

Michel se imaginó al punto un aldeano cruel y despótico.

–No es asunto mío –dijo Mattius cuando el monje empezaba a compadecerla.

Michel, sin embargo, le preguntó más detalles sobre su prometido. Quedó sorprendido cuando ella les contó que se trataba de un noble, no muy importante pero apuesto, valiente y bien parecido, que se había encaprichado con ella.

–¿Y qué problema hay?

–¡Pues que no le amo! ¿No te parece bastante? –La muchacha dirigió una mirada colérica a Michel.

–Está enamorada de otro –explicó Mattius con calma–. Suele pasar.

–No estoy enamorada de otro. Simplemente, no me quiero casar.

–¿Y por qué no entras en algún convento? Será para ti una vida mejor que la de juglaresa, te lo aseguro.

Las uñas de la joven se clavaron dolorosamente en el brazo de Mattius.

–Todos sois iguales –siseó.

Se apartó bruscamente de la mesa.

–Por cierto –añadió en voz baja–. Yo en vuestro lugar vigilaría al tipo que acaba de entrar. No os quitaba ojo mientras hablaba con el posadero.

Mattius, que apuraba su jarro de cerveza, se sobresaltó; parte del líquido le cayó sobre la ropa. La joven le arrojó un trapo para que se limpiara.

El juglar se volvió hacia ella, ceñudo, pero ya se alejaba hacia la barra.

–¿Crees que sabrá algo? –preguntó Michel, inquieto.

–No. Simplemente tiene buen ojo y una lengua muy afilada.

El muchacho se aproximó un poco más a él para decirle en voz baja:

–Piensas que puede tratarse de la cofradía, ¿verdad?

Mattius, tras dirigirle una mirada iracunda a la chica –que le respondió desde la barra con un gesto burlón–, siguió con los ojos al hombre de la barba castaña, que subía las escaleras hacia el piso superior, hasta que lo perdió de vista. Después se volvió hacia Michel, dudoso.

–No soy tonto, Mattius. Sé que algo no marcha bien.

El juglar se mordió el labio inferior, pensativo. Entonces le contó a Michel lo que Alfredo el Buey le había dicho en Astorga acerca de aquel hombre.

–Esta posada no es segura –concluyó en voz baja–. Y la chica no me inspira confianza.

–Pero puede que sepa algo acerca del hombre que nos sigue.

La muchacha se acercó de nuevo para limpiar la mesa. Mattius la llamó:

–Oye...

–Lucía.

–Oye, Lucía. Has dicho que ese hombre nos vigilaba. ¿Le conoces?

–No. Nunca le había visto por aquí, pero se aloja en esta posada. Según le ha dicho a mi padrastro, venía a encontrarse aquí con alguien. Tened cuidado.

Michel pareció considerablemente alarmado ante aquella noticia, y dirigió a Mattius una mirada de urgencia. El juglar asintió casi imperceptiblemente, pero Lucía lo notó.

–No os aconsejo partir antes del amanecer.

Mattius le disparó una mirada irritada.

–¿Qué te hace pensar...?

–¿Por qué no deberíamos salir de noche? –quiso saber Michel, curioso.

La chica echó un rápido vistazo a su padrastro.

–Hay luna llena –explicó bajando la voz–. Las meigas preparan un aquelarre.

–¿Meigas... aquelarre...?

–Una reunión de brujas –tradujo Mattius.

Michel pareció aliviado.

–No creo en esas cosas. Solo son supersticiones.

La joven se encogió de hombros.

–Peor para ti. Yo ya te lo he advertido.

–Un juglar que se precie no puede temer a cosas tales como brujas y fantasmas –comentó Mattius–. De lo contrario, nunca llegaría demasiado lejos, y un juglar debe viajar. Lo cual demuestra que no sirves para aprender nuestro oficio.

Lucía iba a contestar, airada, pero la reclamaron en otra mesa y tuvo que marcharse.

Michel no preguntó nada, pero conocía suficientemente bien a Mattius como para saber que, con brujas o sin ellas, se marcharían de la aldea en cuanto todo estuviera tranquilo, antes de dar ocasión al que los seguía de iniciar un ataque.

Pese a ello, Mattius se quedó con los parroquianos hasta muy tarde, relatando historias, cantando canciones y contando chistes, para no despertar sospechas. A nadie le resultó extraño, sin embargo, que Michel se retirara pronto a dormir.

Lo despertó Mattius unas horas más tarde, sacudiéndolo sin contemplaciones. Sin una palabra, cogieron las cosas y salieron en silencio de la posada, aprovechando la clara luz de la luna llena que se filtraba por las ventanas.

Fuera, Mattius notó la ausencia del perro.

–Michel –susurró–, ¿has visto a Sirius?

–¿Tu perro? –respondió el monje en el mismo tono–. No, no lo he visto desde que me fui a dormir. Estaba contigo.

El juglar se esforzó en hacer memoria. Sirius se había quedado dormido junto a la chimenea, y él no había querido despertarlo. Había tenido intención de recogerlo al bajar, pero el perro ya no estaba allí.

–Lo habrán llevado a cualquier otra parte –murmuró–. Tengo que encontrarlo.

Michel lo detuvo.

–Espera. Despertarás a todo el mundo. Podemos recogerlo cuando volvamos; además, sin él iremos mucho más deprisa. Avanzaremos al galope.

Mattius no respondió, pero pareció resignarse a aceptar la propuesta de Michel. Si alguien los pillaba saliendo en plena noche como si fueran ladrones, tendrían que dar muchas explicaciones. Sin su perro se sentía vulnerable, pero no tenían otra salida.

Montaron en los caballos y los hicieron avanzar en silencio por las calles.

A pesar de sus precauciones, tres personas los vieron salir de la posada y escapar de la aldea a galope tendido.

● ● ●

El Camino discurría por un húmedo bosque de helechos y altísimas coníferas. Una bruma fantasmal, que la luz de la luna no lograba disipar, se enredaba en los troncos de los árboles y entre las patas de los caballos.

Michel sintió un escalofrío y recordó el aviso de la muchacha. Llevaban ya tiempo oyendo historias sobre brujas, o meigas, que poseían extraordinarios poderes, heredados de unos antepasados celtas que habían morado hacía mucho tiempo en aquellas mágicas tierras. Apartó, sin embargo, aquellos pensamientos de su mente. La gente del lugar era amable y hospitalaria, y no parecían tener de ningún modo tratos con el demonio. Eran solo cuentos de viejas.

Siguieron cabalgando sin cruzar una palabra. Michel perdió la noción del tiempo. El Camino seguía dando vueltas y revueltas entre unos árboles que parecían cada vez más altos. Miró a Mattius, que iba delante, pero este no parecía tener intención de detenerse. Michel se preguntó si se debía al hombre que los seguía o a las advertencias de la chica de la posada. No pudo adivinarlo. El juglar era un tipo bastante escéptico, pero vivía en constante contacto con la naturaleza y sus fuerzas ocultas, de modo que había aprendido a respetarlas.

Súbitamente, el caballo de Mattius se detuvo, y Michel tuvo que reaccionar deprisa para no chocar contra él.

–¿Qué... qué pasa? –preguntó medio adormilado.

Mattius no respondió. Michel echó un vistazo a su alrededor.

El Camino acababa allí. Los árboles se cerraban ante ellos impidiéndoles el paso.

–¿Cómo puede ser? –murmuró–. ¡Sabemos que este era el camino correcto!

Mattius se hacía la misma pregunta.

Un soplo de viento frío les heló los huesos. El juglar se sintió inquieto de pronto, presa de un miedo irracional.

–¡Volvamos! –le dijo a Michel.

Antes de que este respondiera nada, Mattius ya había hecho dar media vuelta a su caballo, y el de Michel lo siguió, pero ninguno de los dos animales avanzó un paso, sino que se revolvieron, nerviosos.

Frente a ellos, cortándoles la retirada, había dos figuras femeninas, vestidas de negro y gris, con los cabellos flotando en torno a ellas, como mecidos por una brisa fantasmal.

Mattius se volvió hacia todos los lados. Más mujeres, cerca de una docena, salieron de entre las sombras, rodeándolos. Algunas eran viejas encorvadas; otras, apenas adolescentes. Pero todas ellas inspiraban una extraña sensación que ponía la carne de gallina: la impresión de que, si querían, podrían invocar al viento con un solo gesto para mandarlos a los dos volando por encima de los árboles.

Una de las brujas hizo breve un movimiento con la mano. Los caballos se encabritaron, y Mattius perdió el control del suyo. Antes de caer al suelo, tuvo una fugaz visión del caballo de Michel escapando al galope, llevando al aterrorizado monje fuertemente aferrado a las riendas.

Después, todo se oscureció.

Lo siguiente que recordaría Mattius serían unos dedos ganchudos arrastrándole a través del bosque, los helechos azotándole la cara, el rocío empapándole las ropas... y las voces de las meigas hablando un idioma extraño, que mezclaba el gallego con palabras que Mattius no había oído nunca.

Cuando por fin abrió los ojos, se vio atado de pies y manos junto a un conjunto de rocas alargadas que formaban un curioso monumento, cubierto de una escritura que el juglar no conocía, y que el musgo y los líquenes comenzaban a emborronar. Frente a él ardía una enorme hoguera, y a su alrededor, las meigas hablaban en susurros nerviosos.

Buscó a Michel con la mirada, pero no lo vio. Reprimió una sonrisa. ¿Sería que el chico había logrado escapar, al fin y al cabo?

Las brujas guardaron silencio de pronto, y Mattius se esforzó en escudriñar entre las sombras, para ver si averiguaba qué estaba pasando.

Pronto lo descubrió: un hombre se abría paso entre sus captoras, y Mattius lo reconoció como el individuo de la posada, aquel contra el cual le habían advertido Lucía y Alfredo el Buey. Cerró los ojos. Aquello era de locos. ¿Sería posible que estuviera aliado con las meigas para capturarlos? ¿Por qué?

El desconocido se detuvo junto al fuego y miró a Mattius como si fuera un piojo.

–Por fin vamos a recuperar lo que nos pertenece –dijo en castellano, y las sospechas del juglar se vieron confirmadas.

No vio necesidad de responder. El eje lo tenía Michel, que, por lo visto, había conseguido huir.

El hombre pareció haberle leído el pensamiento, porque una sombra de sospecha le cruzó el rostro, y se volvió a las meigas:

–¡Vosotras! ¿Dónde está el otro, el monje?

Las brujas hablaron entre ellas en rápidos siseos. La que parecía ser la líder, una mujer de mediana edad, largos cabellos pelirrojos y expresión taimada, respondió por todas, en un castellano vacilante:

–No sabemos, señor. Escapó. De todas formas, era apenas un niño, no muy fuerte. Pensamos que el tesoro lo guardaría el hombre alto.

El otro frunció el ceño y se acercó a Mattius con la manifiesta intención de registrarle. El juglar, aún inmovilizado, se debatió todo lo que pudo y llegó a morderle el brazo. El hombre retiró la mano, furioso.

Mattius decidió hacer como si no entendiera qué estaba pasando.

–Si pretendéis robarme, señor, perdéis el tiempo –dijo–. Esa mujer se equivoca, no guardo ningún tesoro. Soy solo un pobre juglar.

–Conque un pobre juglar, ¿eh? ¿Y no sabes lo peligroso que es viajar de noche?

Mattius se quedó sin habla, pero se rehízo rápidamente:

–El muchacho que me acompañaba tenía prisa por llegar a Santiago para ofrecer sus votos al Apóstol. No quise dejarlo solo.

–¿No sabes que Santiago fue atacada por los moros? Son malos tiempos para peregrinar, amigo.

–Señor, dejadme marchar –insistió Mattius–. Soy un pobre juglar peregrino. No tengo nada. No sé por qué os molestáis.

Los labios del desconocido esbozaron una torcida sonrisa.

–Yo creo que sí lo sabes. Me llamo García Núñez, y soy uno de los maestres de la Cofradía de los Tres Ojos. Me han encargado la misión de recuperar cierto... objeto que tú y tu amigo robasteis de la iglesia palatina de Aquisgrán hace varios meses. Sé muy bien quién eres y sé que no me he equivocado de persona, así que no trates de engañarme. No te servirá de nada.

Había sido un buen intento, se dijo Mattius. García se quedó observándole, como para decidir qué hacer con él.

–Mátale –sugirió la portavoz de las meigas–. Está indefenso.

–No. Si no es él quien tiene el eje, por lo menos podrá decirnos dónde está. De todas formas, podríais ayudarme a mantenerlo quieto.

–Por supuesto.

Las meigas comenzaron entonces a entonar un curioso cántico. Mattius no entendió lo que decían, pero no le gustó.

El cofrade se aproximó de nuevo para registrarle. Mattius quiso volver a resistirse, pero descubrió que ahora ya no podía; por alguna razón, su cuerpo estaba inmovilizado. Una ola de terror helado le recorrió por dentro cuando fue consciente de que le habían sometido a algún tipo de hechizo. Esta vez no pudo hacer nada para evitar la inspección.

García torció el gesto al comprobar que Mattius no llevaba encima lo que estaba buscando; lo cual no impidió que se quedara, sin ningún escrúpulo, con el escaso dinero del juglar.

–El muchacho –masculló–. El joven monje es quien tiene el eje.

Mattius sonrió para sí. El castellano descubrió la sonrisa y le propinó un puntapié. El juglar gimió, pero seguía riéndose por dentro. En aquellos momentos, Michel debía de estar ya muy, muy lejos...

De pronto se le ocurrió la alarmante idea de que su amigo podría cometer la estupidez de volver a rescatarlo... y se le borró la sonrisa. Consideró la posibilidad, y maldijo a Michel para sus adentros, ya completamente convencido de que, impulsado por sus sentimientos de lealtad, el monje sería incapaz de abandonarlo allí. Rezó fervientemente para que el muchacho hubiera actuado con sentido común.

● ● ●

Oculto tras unos enormes helechos, Michel observaba la escena con preocupación. Tal y como Mattius temía, había decidido que no se marcharía sin él.

Había escapado de las brujas fortuitamente. Su caballo se había encabritado, rompiendo el cerco y huyendo al galope. El monje se había aferrado a su montura con una fuerza, nacida del miedo y la desesperación, que ni él mismo habría creído poseer. No obstante, un poco más lejos, había perdido el equilibrio y caído como un fardo sobre los helechos que crecían junto al camino. El caballo se había perdido al galope en la oscuridad.

Si las meigas no se habían dado cuenta de que Michel las seguía era, probablemente, porque estaban demasiado concentradas con su presa. Habían atacado al más fuerte, dando por sentado que debía de ser este quien guardaba el eje. Aquel error suponía que Mattius y Michel aún tenían una oportunidad.

Pero primero había que rescatar al juglar.

El escondite de Michel estaba lo suficientemente lejos como para que las brujas no lo descubrieran, pero también lo bastante cerca como para que el muchacho escuchara lo que decían. Así había oído toda la conversación entre Mattius y García Núñez. Y así oyó cómo este daba a las meigas órdenes de peinar el bosque y capturarlo costara lo que costase.

El miedo le acuchilló las entrañas, y forzó a su mente a trabajar desesperadamente en busca de un buen plan de rescate.

Descubrió entonces que, de pronto, las meigas parecían inquietas. Lanzaban furtivas miradas a las sombras del bosque, y susurraban entre ellas, temerosas. García les preguntó qué pasaba. Michel también se sentía intrigado.

Una mano se posó sobre su hombro y le hizo dar un respingo. Se contuvo para no gritar.

–No te preocupes –dijo una voz suave–. Vamos a ayudarte.

• • •

Unos metros más allá, Mattius escuchaba atentamente la conversación de sus captores. Por algún motivo, las meigas estaban nerviosas, y se negaban a separarse unas de otras y a alejarse del monumento de piedra. García hacía esfuerzos por razonar con ellas, pero se ponía furioso por momentos.

Aquel era un dato interesante. Mattius aguzó el oído para averiguar más cosas. Se enteró así de que aquel grupo de meigas estaba actuando a espaldas del resto de sus compañeras al aliarse con la cofradía. Pero ahora parecían creer que habían sido descubiertas. Mattius solo pudo captar algunas palabras sueltas en el inquieto siseo de las mujeres. Fue suficiente.

–Ellas... muy cerca...

–Sentimos...

–... en el viento...

–... Nos escuchan...

García empezaba a perder la paciencia.

–Fiona, ¿qué significa esto?

La portavoz de las brujas se plantó frente a él y le sostuvo la mirada, desafiante. Sus rizos rojos destellaban como llamas a la luz de la hoguera.

–La Hermandad del Bosque nos ha descubierto. Alguien las ha avisado. Nunca debimos unirnos a vosotros. Ahora ellas están aquí, y nosotras seremos castigadas.

El resto de las brujas gimieron.

–¿Qué es eso de la Hermandad del Bosque? –García estaba desconcertado–. ¿Qué tontería es esa?

–La Madre lo sabe todo. Nunca debimos actuar a sus espaldas. Impartirá justicia, y tú tampoco te librarás de ella.

García no pareció sentirse impresionado.

–¡Escuchadme bien! –bramó–. Vosotras habéis hecho un pacto con la cofradía y ahora no podéis volveros atrás. ¿Qué es lo que queréis? ¿Más dinero? ¡Por el Último Día, no pienso...!

Su perorata se vio interrumpida por el potente ulular de una lechuza. Las meigas parecían aterrorizadas. El maestre de la Cofradía de los Tres Ojos miró en derredor. Su rostro mostró primero sorpresa, después respeto y, finalmente, auténtico pavor.

Mattius miró a su alrededor, sintiendo que se le ponía la piel de gallina.

Las ramas de los árboles acogían a docenas de pequeñas criaturas cuyos ojos relucían fantásticamente en la oscuridad; y aquellos pares de ojos brillantes estaban clavados en García y las meigas que los acompañaban.

El maestre temblaba visiblemente, pero se irguió, reprimiendo su miedo, para enfrentarse a aquella mirada múltiple.

–¡En el nombre del Milenio, marchaos de aquí! –gritó–. ¡Estos asuntos no os conciernen!

La respuesta que obtuvo fue un coro de voces de lechuzas que ululaban con el viento.

–¡Marchaos! –repitió García, y desenvainó su espada.

El cántico de las lechuzas subió de tono. Una inmensa ave plateada, de grandes ojos brillantes, bajó planeando desde la oscuridad y se posó sobre el monumento de piedra. Mattius intentó darse la vuelta para verla.

–Fiona –dijo la lechuza suavemente, con una voz profunda y modulada–, ¿por qué has hecho esto? ¿Qué te han ofrecido estos adoradores de Satanás? ¿Dinero, riquezas, poder?

Mattius reprimió un grito de terror inspirado por el hecho de oír hablar a un animal. «O es un truco, o es cosa del diablo», se dijo. «O una espantosa pesadilla».

Los ojos de la meiga pelirroja estaban llenos de lágrimas.

–¿No te bastaba con el bosque, con la voz de los árboles, con el susurro del viento y la energía de la tierra? –prosiguió la lechuza–. ¿Conoces algún tesoro mejor que el secreto de la vida?

Fiona cayó de rodillas, sollozando.

–Perdóname, Madre. Yo... no sabía lo que hacía.

Las otras meigas se sumaron a su disculpa. Las lechuzas cantaron más alto.

García vio que el asunto se le había escapado de las manos. Con un grito se lanzó, espada en alto, hacia el ave plateada del monumento de piedra.

No llegó a tocarla. De las sombras surgió, gruñendo, una enorme bestia peluda que saltó hacia él y lo derribó. Las lechuzas de los árboles alzaron el vuelo y, abandonando las ramas, se abatieron sobre el maestre.

Todo esto sucedió en menos de lo que se tarda en respirar tres veces. Mattius no pudo reaccionar al principio, pero dio un respingo cuando sintió a alguien tras él.

–Silencio –dijo la voz de Michel–. Voy a liberarte.

El juglar estuvo a punto de soltar una carcajada histérica, de puro nerviosismo. Miró hacia el monumento de piedra, pero la lechuza parlante ya no estaba. Vio entonces que las brujas habían descubierto su huida y que Fiona los miraba fijamente. Pero nadie parecía tener intención de detenerlos.

Mattius parpadeó. Nada de aquello parecía real. Las lechuzas abandonaron el cuerpo exánime de García en el suelo, junto a la hoguera, pero el juglar no habría sabido decir si estaba muerto o no. Reconoció entonces al animal que lo había atacado: era su propio perro.

–¡Sirius! –lo llamó–. ¿Cómo has llegado hasta aquí?

–¡Vámonos! –urgió Michel–. ¡No sabemos si ese hombre estaba acompañado!

Mattius recordó que la muchacha de la posada le había dicho que García había acudido allí para encontrarse con alguien, y consideró que el consejo de Michel

era muy prudente. Lo siguió, pues, a través del bosque, alejándose cada vez más de aquel lugar que le ponía los pelos de punta.

Se detuvieron a bastante distancia del claro. Entonces Mattius sintió una presencia tras él y se volvió rápidamente, estremeciéndose. De las sombras del bosque había surgido una mujer anciana, que llevaba una capa gris y un tocado de plumas de lechuza. Su cuerpo emanaba un levísimo resplandor plateado, y el juglar adivinó que era una meiga de gran poder, quizá la que había invocado a la lechuza del monumento de piedra.

–¿Estáis bien los dos, Michel? –preguntó la mujer al muchacho, muy seria.

–¿Qué... qué...? –soltó el juglar.

–Ahora eres tú el que cacarea –comentó Michel con una sonrisa, pero mostrándose algo incómodo–. Mira, esta es Isabel, Madre de la Hermandad del Bosque. La más poderosa de todas las meigas.

Mattius sintió un nuevo escalofrío cuando se le ocurrió la idea de que la lechuza parlante quizá no era un animal hechizado; quizá era aquella mujer, que se había transformado en ave.

Otra sombra surgió del bosque y se colocó junto a la meiga en silencio. Mattius la observó con suspicacia a la luz de la luna. Era un muchacho delgado, quizá de la edad de Michel.

–Esta es mi nieta –explicó Isabel al darse cuenta de su recelo.

–¿Nieta? –repitió Mattius, y estudió al desconocido con más atención–. ¡Que me aspen! –exclamó al reconocer a Lucía–. ¡Eres tú!

La joven se había vestido de hombre y se había recortado el pelo. Si uno no se fijaba mucho en ella, podría tomarla por un chico como Michel.

–¿Qué haces aquí? –gruñó, más que dijo, Mattius.

–Salvarte el pellejo, juglar –respondió ella secamente–. Te dije que tuvieras cuidado con las brujas.

Apartó aquellos pensamientos de su cabeza; ahora había otras cosas más urgentes que averiguar.

–¿La Hermandad del Bosque está de nuestra parte? –preguntó, aún receloso.

–Lo está, aunque no lo merecéis –dijo Lucía con cierta ironía–. He intercedido por vosotros.

Mattius no sabía si alegrarse o preocuparse. Aún recordaba muy bien que la chica tenía motivos para estar enfadada con ellos.

–Sabemos cuál es vuestra misión –dijo Isabel–. Tenéis la bendición de la hermandad, y Fiona y las suyas no volverán a molestaros. Por desgracia, no puedo decir lo mismo de la cofradía.

Lucía susurró algo al oído de su abuela; en la frente de la meiga apareció una arruga de preocupación.

–García se nos ha escapado –dijo.

–¿Qué... cómo? –profirió Mattius–. ¡Parecía atrapado!

–Lo dejamos en el claro, inconsciente; sabíamos que no se levantaría, de modo que decidimos encargarnos de las meigas que os habían atacado; Lucía acaba de volver de allí, y García ya no está. Alguien debe de haberle rescatado, alguien lo bastante despiadado como para no sentir el mínimo temor ante el poder de las meigas.

Mattius no dijo nada, pero tomó nota mentalmente de las advertencias de la mujer. Acarició a su perro, abatido. Michel le miró y sintió lástima por él. No estaba preparado para todo aquello.

–Si salís al amanecer, llegaréis a Santiago en un par de días –apuntó la Madre de la Hermandad del Bosque–. Quizá queráis descansar un poco antes de partir.

Michel echó una mirada crítica al cielo y suspiró. Ya empezaba a clarear. No habría tiempo para descansar.

–Alégrate, Mattius –dijo–. La hermandad ha recuperado nuestros caballos.

–Si nos damos prisa, podremos estar en Portomarín al anochecer –añadió Lucía.

Mattius reaccionó.

–¿«Podremos»? –repitió–. ¿Quién te ha invitado a ti?

–¿Quién te ha rescatado a ti, eh?

–Nadie te lo ha pedido –rezongó Mattius; luego, recordando que estaba ante la abuela de la chica, una abuela que podía hacer cosas tales como transformarse en lechuza, añadió, en un tono más suave–: Mira, no estamos haciendo un viaje de placer. Va a ser muy peligroso. –Se encogió de hombros–. Además, no es fácil ser juglaresa, y la vida errante no es segura para una chica.

–Yo puedo hacerlo –aseguró Lucía, resentida.

–¿No tienes que seguir los pasos de tu abuela en la Hermandad del Bosque?

–No, si no quiero. Llevadme con vosotros, por favor. No puedo volver atrás.

Mattius dudaba.

–No pienso ponerte en peligro –dijo al fin–. La cofradía no va a darse por vencida. Si simplemente fuera un juglar errante, quizá permitiría que me acompañaras. Pero tengo algo que hacer, algo muy importante y muy peligroso. –Hizo una pausa–. Aunque, si todo sale bien, puedo volver a buscarte cuando todo acabe.

Ella lo miró fijamente. Después interrogó a su abuela con la mirada.

–Arreglaremos lo de tu boda –le prometió esta–, si estás dispuesta a esperar a que el juglar regrese.

–¿Volverás? –insistió Lucía clavando en Mattius sus ojos verdes.

–Volveré. Lo prometo.

El tono de su voz era sincero. Michel sonrió.

–Lástima, venías muy dispuesta –comentó refiriéndose a su ropa y al corte de pelo.

–Otra vez será.

Mattius recordaría toda su vida la imagen de la vieja meiga y la muchacha internándose en el bosque, envueltas en la neblina de la aurora. Lo sentía por ella, pero no pensaba volver. Había visto pocas juglaresas a lo largo de su vida. La mayor parte de ellas complementaban sus actuaciones con otras actividades muy poco honorables, pero eso era algo que, probablemente, la joven no sabía. Si se hacía juglaresa, la gente tendería a identificarla con una prostituta. Y si no era buena contando historias, seguramente terminaría como tal.

Encontraron sus caballos al borde del camino, pastando tranquilamente, y reanudaron la marcha. Ninguno de los dos dijo nada hasta que se detuvieron a mediodía para comer.

–¿Volverás? –preguntó Michel.

La respuesta de Mattius fue rápida y concisa:

–No. Yo trabajo solo.

Michel asintió.

–Lo suponía.

Mattius no vio la necesidad de explicar sus motivos.

● ● ●

Dos días después, llegaban a Santiago.

No necesitaron acercarse mucho para comprobar que los rumores eran ciertos: la ciudad no era más que un montón de negras ruinas.

–¡Dios santo! –musitó Michel cuando los restos de Santiago fueron visibles bajo la pálida luz de la tarde.

Mattius asintió. Ya se lo esperaba. A diferencia de Michel, él sí había dado crédito a los cantores de noticias. Sabía que solían tener razón.

–Santiago... –murmuró Michel, blanco como la cera–. Los restos del Apóstol... –suspiró, y se volvió hacia Mattius–. Es otra señal más. El fin del mundo está próximo.

El juglar no dijo nada. Espoleó a su caballo, y Michel lo siguió con el corazón encogido.

Entraron en Santiago cuando ya anochecía, cruzando la nueva muralla, presumiblemente más alta que la anterior. Las sombras de las ruinas cubrían las calles, y Michel sintió miedo. Sin embargo, Mattius parecía saber exactamente adónde se dirigía.

–Espero que la casa siga en pie –le oyó murmurar Michel para sus adentros.

Dejando atrás las afueras de la ciudad, Mattius se detuvo ante una casa de piedra de dos pisos, una vivienda de lujo dados los tiempos que corrían. Las llamas parecían haber alcanzado solo su parte trasera; Michel observó que el dueño había iniciado las obras para reconstruirla y se había dejado las herramientas fuera, aguardando al día para reanudar el trabajo.

Mattius llamó a la puerta.

–¿Quién es? –preguntaron desde dentro.

–La voz que viene y va –respondió Mattius lo que parecía ser una contraseña.

La puerta se abrió. Un hombre ya entrado en años, calvo y fornido, los invitó a pasar.

–¡Mattius! –exclamó al reconocerlo bajo la luz interior–. Hacía tiempo que no venías. ¿Qué se te ofrece?

–Busco alojamiento e información. Vengo con un amigo.

–¡Oh! –exclamó el hombre al ver a Michel–. Está bien, supongo que tendrás tus razones. Pasad, no os quedéis en la puerta.

Michel entró y se acercó tímidamente al fuego. Aunque era verano, los había sorprendido un chaparrón poco antes de llegar a Santiago, y aún tenía húmedos los hábitos.

–Sentaos –dijo el anfitrión–. Le diré a mi mujer que prepare algo más de sopa.

Se acomodaron sobre sendos escabeles mientras el hombre salía de la habitación. Michel no preguntó nada, pero Mattius le explicó:

–Estás en casa de Martín, maestro del gremio de juglares.

–¿Gremio...? –repitió Michel; la palabra era nueva para él, pese a todo el tiempo que llevaba de viaje.

–Sí, hombre. En las ciudades, desde hace cierto tiempo, los artesanos de un mismo oficio se reúnen en gremios para defender sus intereses.

Michel asintió, recordando que, en las ciudades que había visitado, las tiendas de una misma profesión estaban agrupadas en una misma calle, pero le costaba trabajo imaginar cómo podía un juglar tener un establecimiento.

Mattius adivinó sus pensamientos y sonrió.

–Los juglares viajamos mucho –dijo–. Algunos deciden asentarse y se retiran. Muchos fundan una sede del gremio en la ciudad donde han decidido vivir.

–¿Quieres decir…?

–Nuestro gremio no se reduce a una ciudad, sino que se extiende por casi toda Europa. La mayoría de los auténticos juglares narradores de historias pertenecen a él; así nos aseguramos ayuda, protección y amigos en la mayor parte de las ciudades importantes. Contamos nuestras noticias y las historias que hayamos podido aprender, y así todos nos beneficiamos de la información. Obtenemos también techo y comida.

–Ya entiendo. Como las posadas para peregrinos a lo largo del Camino.

–Algo así. Las sedes del gremio nos permiten descansar de nuestra peregrinación por el mundo.

–¿Y este Martín fue…?

–Un juglar. Endiabladamente bueno, además. Amasó una fortuna con lo que nobles y príncipes le daban por relatar sus hazañas, y tuvo la prudencia de retirarse a tiempo, antes de que la memoria comenzara a fallarle. Fue uno de los mejores y recorrió casi todo el mundo. Por eso es ahora uno de los maestros del gremio, aunque haya abandonado la vida errante.

Michel sacudió la cabeza.

–Una organización extraña, la vuestra. Nunca había oído nombrarla.

–Eso es porque la gente suele menospreciar a los juglares. Pero nuestro oficio tiene sus riesgos, y debemos hermanarnos para recorrer los caminos de forma un poco más segura.

Martín entró de nuevo en la habitación, seguido de su mujer, que traía dos cuencos de sopa. Mattius y Michel los aceptaron, agradecidos. Su anfitrión los observó con gesto grave mientras ellos daban buena cuenta de la cena.

–Compostela ha cambiado mucho últimamente –comentó Mattius entre cucharada y cucharada–. ¿Qué ha pasado?

El rostro de Martín se ensombreció.

–Los moros vinieron y nos cogieron por sorpresa. No eran muchos, pero los guiaba Al-Mansur; no los vimos hasta que los tuvimos encima, y arrasaron la ciudad. Todo. La basílica también. Murió mucha gente.

Michel dejó la cuchara. De pronto, ya no tenía ganas de comer.

–Pero la gente sigue peregrinando hasta aquí –observó Mattius–. Y el anuncio de que Santiago ha sido saqueada ya corre por todo el Camino.

–Parece que no has escuchado las noticias con atención, amigo. Los moros lo destruyeron todo excepto el sepulcro del Apóstol. Santiago sigue intacto.

Michel dejó caer la cuchara, estupefacto.

–¿Quieres decir... que Al-Mansur respetó sus restos? ¿Que no profanó el sepulcro?

Mattius le dirigió una sonrisa cansada.

116

–Quizá sí haya esperanza, al fin y al cabo. Ha sido un acto muy noble por su parte.

–¿Nobleza... un infiel? No, ha de haber una explicación.

–No la hay –dijo Martín–. Estamos en guerra y es lógico que se ataquen ciudades. Pero nadie elige nacer en un bando o en otro, y hay gente noble también entre los que sirven a la media luna. Al-Mansur es un gran general. Más de un rey cristiano habría querido tenerlo a sus órdenes.

Michel sacudió la cabeza. Era un planteamiento demasiado novedoso para él. No sabía que Martín había viajado por Al-Andalus cuando aún era un juglar activo.

–Fue duro, pero tenemos que seguir adelante –prosiguió el maestro de los juglares–. Los trabajos de reconstrucción han ido lentos por culpa de las lluvias; esa es la razón por la cual la ciudad aún presenta un aspecto tan desolador. Pero ahora que llega el verano, esperamos poder levantar muchas más casas.

Hubo un breve silencio. Entonces Mattius dijo, cambiando de tema:

–Buscamos el fin del mundo. ¿Adónde debemos ir?

–Bueno, todos sabemos que el mundo se acaba en las costas occidentales de esta tierra –repuso Martín con sorpresa–. Pero esas costas son muy largas. ¿Qué es exactamente lo que estás buscando?

–Una ermita –respondió Michel–. En el lugar donde el mundo se acaba.

–Joven, hay cientos de ermitas desperdigadas por las costas de Galicia.

Mattius vio que Martín fruncía el ceño, y le dijo:

—Creo que tengo una historia que contarte, maestro. Te interesará. Es audaz y original. Y lo más sorprendente —dirigió una mirada a Michel— es que, por lo que estoy comprobando, es cierta.

El monje no dijo nada, ni tampoco despegó los labios mientras Mattius relataba a su anfitrión todas sus aventuras desde que había encontrado, en una pequeña aldea normanda, a un muchacho huido de un monasterio, que predicaba que el fin del mundo estaba próximo.

Michel pronto se quedó dormido, allí mismo, sobre la alfombra, mientras la voz de Mattius seguía resonando en sus oídos.

● ● ●

Se despertó a la mañana siguiente en una cama del piso superior. Parpadeó bajo la luz del día y se levantó de un salto. Estaba solo en la habitación, pero más allá había otra cama deshecha. Escuchó con atención y oyó las voces de Mattius y Martín en el piso de abajo.

Se asomó a la ventana para contemplar por primera vez Santiago a la luz del día.

Lo que vio no era muy alentador. Gran parte de la ciudad estaba en ruinas. Las paredes seguían ennegrecidas y las afueras estaban llenas de precarias viviendas improvisadas, donde familias que lo habían perdido todo luchaban por sobrevivir un día más.

Pero, por encima de todo aquello, por encima de la destrucción y las ruinas, la gente estaba trabajando codo con codo para levantar de nuevo todo lo que los atacantes se habían llevado por delante, para construir nuevas casas, nuevas iglesias, nuevas vidas. Compostela bullía de actividad. Observando atentamente, descubrió la ilusión con que todos colaboraban en los trabajos de reconstrucción y supuso que, cuando terminaran, la ciudad sería mucho mejor y más bella que antes.

–¿Qué tal si echamos una mano?

Michel dio un respingo. Mattius había entrado silenciosamente y estaba justo junto a él. No lo había oído llegar.

–¿Cuánto tiempo llevan trabajando? –preguntó.

–Varios meses, prácticamente desde el desastre. Es una tarea dura, y aquí llueve mucho, lo que retrasa las obras, pero van recogiendo sus frutos, ¿no te parece?

Señaló con un gesto un sector en el que Michel no había reparado antes: casas nuevas, recién construidas y ya habitadas. Michel no dijo nada.

–¿Tienes idea de lo que vas a hacer ahora? –preguntó Mattius suavemente.

–No. No sé si seguir hasta la costa o descansar aquí unos días, preguntar a la gente...

Ahora fue Mattius quien calló.

–De paso –prosiguió Michel–, quizá podamos ayudar en la reconstrucción, ¿no te parece?

Mattius sonrió.

● ● ●

Los días se convirtieron en semanas. Michel y el juglar compaginaban sus pesquisas con la ayuda que prestaban en las obras. No descubrieron rastro de la cofradía en Santiago, lo cual les permitió un pequeño respiro. Sin embargo, esto inquietaba a Michel; si estuvieran cerca de su objetivo, seguramente ellos ya les habrían salido al paso.

Aun así, retrasaba el día de su partida hacia la costa, porque no se veía con ánimos de recorrer los acantilados galaicos en busca de una ermita sin una referencia más clara. Además, se sentía a gusto en Compostela. No estaban de más unos brazos extra, y a Michel le agradaba sentirse útil. El trabajo físico le fortalecía y apartaba de su mente los malos pensamientos.

Así, las semanas se convirtieron en dos meses. Cuando finalizaba el verano, Michel recordó, alarmado, que el año 1000 estaba cada vez más cerca, y decidió partir cuanto antes. Pero Mattius le dio la noticia de que en breve se celebraría una gran feria en honor del Apóstol. Habría mucha gente. Ello ayudaría a relanzar la maltrecha economía de la ciudad... y, además, podría ser fuente de información, porque también acudirían pescadores de las rías a vender su género.

Michel capituló, y decidió esperar un poco más. De todas formas, volver a internarse en el bosque galaico no le atraía lo más mínimo, pese a la promesa de Isabel de que las meigas no les harían daño.

Los días pasaron, y la feria no tardó en llegar.

* * *

Martín despertó a Michel al amanecer, y el muchacho se levantó de un salto. Sin apenas desayunar, salió corriendo a la plaza, y se quedó sin respiración.

Aquello era impresionante. Siempre venían peregrinos y mercaderes a Santiago, pero aquel día había muchos más. A pesar de lo temprano de la hora, los vendedores estaban ya montando los puestos y extendiendo el género sobre las tablas. Verduras, frutas, pescado, cacharros de barro, ganado, objetos de caña y cuerda trenzada, dulces artesanales... Aquel día, todo podía comprarse y venderse en Santiago.

–Buenos días –saludó Mattius, que estaba sentado junto a la puerta afinando su laúd; se había puesto sus mejores galas–. Hoy será un gran día. Vamos a recoger mucho dinero.

Michel sonrió y se sentó junto a él. Los dos amigos conversaron tranquilamente mientras el mercado se animaba. Apenas una hora después, aquello era ya un hervidero de gente, y el muchacho no pudo quedarse allí un momento más.

Sonriendo, Mattius lo vio perderse entre la multitud. Un año antes no le habría permitido alejarse, pero el chico estaba creciendo y aprendiendo a cuidar de sí mismo. Ya no necesitaba que tuvieran un ojo puesto en él.

* * *

Michel caminaba por el mercado, dejándose llevar de un lado para otro.

Agricultores, ganaderos y comerciantes de toda Galicia y parte de León y Navarra habían acudido a la feria. Aquel día podía comprarse desde una lechuga hasta un hermoso caballo alazán. Los vendedores llenaban el aire con sus ofertas en un intento de atraerse clientes. Los compostelanos, al igual que Michel, paseaban por el mercado mirándolo todo, aunque no compraran nada.

El monje se recordó a sí mismo que debía pasar más tarde a rezar ante el sepulcro del Apóstol. Pese a que la basílica había quedado destruida en la incursión de Al-Mansur, estaba proyectándose un edificio mucho mayor; por el momento, los restos sagrados reposaban en una pequeña capilla improvisada, adonde podían acudir devotos y peregrinos. Michel solía hacerlo todos los días, y todos los días rezaba pidiendo una señal que lo ayudara a continuar su búsqueda.

Había preguntado a los pescadores que venían de las rías, pero se había encontrado con el problema de que no entendían castellano. Solo hablaban gallego, y Michel no dominaba el idioma aún. De todas formas, a pesar de sus esfuerzos y de que lograba hacerse entender, no consiguió ninguna información útil. La mayoría de ellos venían de la costa norte; el camino que llevaba hacia el oeste no era seguro desde el ataque a Santiago.

Se obligó a tener paciencia. Al atardecer, todos los juglares que hubieran acudido a la ciudad se reunirían en casa de Martín para cambiar impresiones. Entonces podrían preguntarles si conocían alguna historia que les diera una pista. En cualquier caso, Michel ya había decidido que partirían al día siguiente. La estremecedora experiencia con las meigas había hecho que se sintiera muy seguro tras las murallas de una ciudad, pero era consciente de que el verano se acababa y pronto volverían las lluvias. El viaje sería entonces mucho más difícil, sobre todo ahora que ya no seguirían el Camino.

Estaba entretenido observando unos pergaminos que había traído un mercader del sur cuando lo sobresaltó una mano que tocaba su hombro. Se volvió. Detrás había una muchacha un poco mayor que él, de cabello corto y centelleantes ojos verdes.

–¡Lucía! –exclamó Michel al reconocerla–. ¿Cómo estás? ¿Qué haces aquí?

–De compras, supongo –repuso ella; parecía contenta de verle–. Mi abuela y yo no podíamos dejar pasar esta oportunidad.

–¿Tu abuela? ¿Dónde está?

–Imagino que intercambiando hierbajos con otras meigas. Cuéntame, ¿qué haces tú aquí? Suponía que tú y tu amigo el juglar estaríais ya muy lejos. Como teníais tanta prisa...

Michel captó la indirecta y enrojeció.

–En realidad no nos hemos movido de Santiago en todo el verano. Después de lo que nos pasó aquella noche, no nos entraron muchas ganas de volver a internarnos en el bosque. Además, andamos detrás de algo y le hemos perdido la pista. Algo... hum... muy importante.

–Apuesto a que lo es. La última vez que os vi estabais en un buen lío.

Michel recordó que ella era la nieta de la más anciana de las meigas. Se preguntó qué sabría acerca de los tres ejes.

–No voy a hacerte preguntas –dijo Lucía adivinando sus pensamientos–. Mi abuela me dijo que lo que estabais buscando era importante para todo el mundo. Que podríais impedir una catástrofe.

Michel asintió. Era obvio que Isabel lo sabía, pero no había querido asustarla con detalles.

–¿Y tu pelo? –le preguntó para cambiar de tema–. Sé que te lo cortaste para venir con nosotros, pero de eso hace ya tiempo, ¿no?

Lucía sacudió sus mechones.

–Bueno, en realidad a mi padrastro no le gustó mi idea de salir de noche y vestirme de chico. Así que, para darme una lección, me rapó el pelo completamente.

Sus mejillas enrojecieron de indignación. Michel se la imaginó en aquel trance y la compadeció. Las burlas de los muchachos, las miradas y comentarios de las mujeres del pueblo...

–¿Y tu prometido, qué dice?

–Ya no es mi prometido. Se enamoró de otra. –Sonrió con un brillo travieso en los ojos–. Preparamos un filtro de amor y se lo pusimos en la bebida. Una bonita forma de librarse de una boda indeseada, ¿no?

Michel se sobresaltó. Había creído que aquellas cosas solo pasaban en las ficciones sentimentales, pero no en la realidad. Volvió a cambiar de tema, algo incómodo.

–¿Habéis venido solas tu abuela y tú ?

–Sí. Mi padrastro no quería dejarme venir, así que me he escapado. Me espera una buena paliza cuando vuelva, pero habrá valido la pena. He visto actuar a tu amigo y a algún otro juglar más en la plaza mayor. Es la única forma que tengo de aprender. Solo por eso, aguantaría una paliza diaria.

Michel la miró horrorizado.

–Deberías escaparte –le dijo.

–¿Adónde iría? En casa de mi abuela no hay sitio para mí. Y nadie quiere llevarme consigo. Soy una gran responsabilidad –añadió con cierto sarcasmo.

Michel volvió a enrojecer. Quiso repetirle las razones que había aducido Mattius para abandonarla, pero ahora ya no le parecían tan sensatas.

–Bueno, me alegro de haberte visto –concluyó Lucía–. Que tengas mucha suerte, y hasta pronto.

–¡Espera! –la detuvo Michel; había tenido una idea–. ¿Todavía quieres ser juglaresa?

Ella se volvió, interesada. Michel no sabía si aquello era correcto, pero debía intentarlo.

–Entonces no deberías preguntar a Mattius, sino al maestro del gremio de juglares. Él te puede informar.

· · ·

A Martín no le pareció buena idea que una mujer quisiera ser juglar.

–Bueno, no se trata solo de bailar, cantar cuatro canciones y enseñar un poco el escote... –gruñó, pero se interrumpió al ver que la muchacha montaba en cólera–. Está bien, está bien, veo que vas en serio. Mira, para ser juglar tienes que tener buena memoria y una gran capacidad de improvisación.

–Una memoria prodigiosa –apostilló Michel–. He visto a Mattius recitar cantares larguísimos después de haberlos oído una sola vez.

Martín se echó a reír.

–Eso no es exactamente así –dijo–. Si prestas atención, te darás cuenta de que cada vez que recita un mismo poema, lo hace de formas diferentes. Casi todos los cantares tienen una rima sencilla y muchos lugares comunes, muchas expresiones y fragmentos que se repiten. En la mayor parte de ellos hay batallas, por ejemplo, y a veces un trozo de un cantar sirve para otro. Si no te acuerdas de lo que sigue, metes algunas frases comodín que se ajusten a la rima y ya está...

–¿Frases comodín...? –repitió Michel.

–Frases típicas de los cantares –explicó Lucía, que empezaba a comprender–. Es cierto, hay cosas que se repiten en todos, pero nos gustan porque ya las conocemos. Sabemos que es un cantar de los nuestros porque todos se parecen, aunque cuenten historias distintas.

–Eso es –aprobó Martín–. Lo primero es conocer la historia que relatas, aprender la música y el ritmo... y, a partir de ahí, intentas aprenderte la letra, y si te quedas en blanco, te lo inventas, sin ningún reparo. Los mejores juglares... como Mattius... lo hacen con tal naturalidad que uno no se da cuenta de que están improvisando. Están tan habituados a los métodos y trucos juglarescos que no les cuesta trabajo reconstruir un cantar. Los otros necesitan, efectivamente, aprendérselo de memoria.

–Sé lo que quieres decir –asintió Lucía–. Yo he aprendido algunos cantares. –Sus mejillas se tiñeron de color–. A veces no recuerdo una parte y entonces simplemente improviso, digo algo que rime y que quede bien ahí. Siempre me pareció que era como hacer trampa.

Martín volvió a reír.

–No; es parte del arte juglaresco. ¿Dices que te has aprendido algunos cantares? Me gustaría oírlos.

Lucía enrojeció de nuevo, y pidió un instrumento. No sabía tocar el rabel ni el laúd, pero, según dijo, le daba bien a la pandereta. Martín se la facilitó.

Michel miró al maestro y adivinó sus pensamientos. Era insólito que una mujer pretendiese ser juglar y, encima, de los auténticos, de los del gremio. Martín tenía intención de escucharla y mandarla a casa diciendo que no servía.

Sin embargo, la muchacha interpretó de forma bastante aceptable un breve cantar sobre los infantes de Lara. Tenía una voz bonita y cristalina, y mucha gracia de movimientos. Además, era evidente que había observado atentamente a los juglares que pasaban por su pueblo, pues imitaba sus gestos con objeto de darle dramatismo a la narración. Alguna vez se quedó en blanco, pero lo subsanó tras una breve vacilación, bien saltándose lo que seguía, bien añadiendo alguna cosa que no desentonara mucho.

Cuando finalizó, aún colorada, miró a Martín tímidamente, esperando su aprobación.

El maestro no sabía qué hacer. La muchacha tenía talento, aunque era evidente que necesitaba más ensayos e instrucción. Se resistía a admitir que una mujer pudiera hacer aquel trabajo mejor que muchos novatos que se le habían presentado y –lo más sorprendente– sin incitar al público con movimientos provocativos, como solían hacer la mayor parte de juglaresas y soldaderas.

–A mí me ha gustado –se atrevió a decir Michel–. Para ser principiante, no está mal.

Martín le disparó una mirada enojada, y el monje enmudeció.

–No, no ha estado mal –reconoció el maestro a regañadientes–. Pero tendrías que trabajar mucho, aprender idiomas, viajar... conlleva sus riesgos.

–Lo sé –dijo ella–. Y creo que vale la pena.

–Necesitarías un maestro, alguien que te enseñara todo lo que aún no sabes. Y no sé si algún juglar estaría dispuesto a llevarte consigo... sin una compensación.

Lucía se puso como la grana al entender la insinuación, pero hubo de reconocer que Martín tenía razón. Una mujer no debía viajar sola, y no se podía pedir a un juglar que fuera muy galante con ella. En aquellos tiempos, ni siquiera los caballeros respetaban a las doncellas.

–Dios se equivocó conmigo –musitó–. Debería haber nacido hombre.

–No digas eso –intervino Michel–. No todos los juglares son así. Estoy seguro de que, si viajaras con alguien como Mattius, no te pondría una mano encima.

–Pero Mattius nunca me llevará con él.

–Bueno, quizá no –admitió Michel, algo incómodo–. Pero debe de haber otros como él.

–O puedes quedarte aquí –intervino una voz femenina desde la puerta–. Estoy segura de que a mi marido no le importará ayudar a una joven con talento.

–¡María! –casi gritó el maestro de los juglares–. ¿Pero qué estás diciendo?

La mujer se había apoyado en el marco de la puerta y le miraba, ceñuda, con una sartén en la mano.

–¿Y por qué no? ¡Has admitido a muchachos que cantaban mucho peor que ella, solo por el hecho de ser hombres! Sí, no pongas esa cara. Sabes que tengo razón. Cuando Mattius y Michel se vayan, quedará sitio de sobra para ella.

–En realidad pensábamos marcharnos mañana –intervino Michel.

–¿En serio? –Martín le miró con interés–. ¿Ya has averiguado lo que querías?

–No, pero no nos queda mucho tiempo, y ya nos hemos retrasado demasiado. Además, tendremos que atravesar un buen trecho de bosque hasta la costa, y será mejor que lo hagamos antes de que vuelvan las lluvias.

–¿Hacia dónde vais? –quiso saber Lucía.

–Buscamos una ermita en la costa. En el fin del mundo.

Los ojos de la joven despidieron una centelleante alegría.

–Yo sé dónde está.

Martín casi se cayó de la silla.

–¡Caramba, muchacha! Sabemos que deseas ir con ellos, pero no es necesario que mientas.

–No miento. Mi padre era pescador en las rías. Conozco la costa y sus poblados.

–¿Y cómo fuiste a parar a aquella posada? –quiso saber Michel, intrigado.

–El mar se llevó a mi padre cuando yo tenía doce años, y mi madre y yo tuvimos que marcharnos. Volvimos al pueblo donde ella nació, y se casó de nuevo, con el animal que ya conoces. Echábamos de menos el mar, pero por lo menos teníamos a mi abuela cerca. Cuando mi madre murió intentando dar a luz a un medio hermano mío que nunca nació, decidí que algún día me marcharía lejos y volvería a ver el mar. Pero no he olvidado lo que viví en mi niñez, y conozco el lugar que estáis buscando.

–Eso es... eso es una gran noticia –balbuceó Michel, sin terminar de creerse su buena suerte.

–¿El qué es una gran noticia? –preguntó Mattius entrando por la puerta principal–. ¡Vaya, otra vez tú! –añadió al ver a Lucía–. ¿Por qué será que no me sorprende?

Michel le explicó lo que había pasado.

–La chica es buena, Mattius –añadió Martín–. Podría ingresar en el gremio, pero necesitaría un tutor que le enseñara todo lo que necesita saber y luego la presentara a la asociación.

Mattius gruñó algo. No se le negaba nada al maestro del gremio de juglares.

–Mi vida ya es precaria –dijo Lucía suavemente–. Mi padrastro me pega, y a veces paso hambre. Cualquier día los moros pueden asaltar mi aldea, al igual que han atacado Santiago, y llevarme prisionera...

–Haremos una cosa –dijo Mattius–. Lo hablaremos esta noche en la reunión. Decidiremos entre todos.

Pero en el fondo ya sabía que la opinión del maestro pesaría más que la suya.

● ● ●

Apenas unas horas más tarde, la casa de Martín bullía de vida. Habían acudido cinco o seis juglares, pero armaban más ruido que veinte. Con sus ropas de colores y sus instrumentos musicales recorrían el salón saludándose unos a otros, presentando sus respetos al maestro y relatando sus últimas hazañas. Mattius se había unido a ellos, con una serena sonrisa en los labios.

En un rincón, Lucía lo observaba todo sin que los juglares repararan en ella. «Me habrán tomado por una criada», pensó, alicaída.

Era muy consciente de lo atrevido de sus deseos y de los peligros que la vida juglaresca entrañaba para una mujer. Sabía que, a lo largo de la reunión, Martín expondría ante los juglares su extraña petición. Solo de pensarlo, se ponía nerviosa.

Como si se hubiera dado cuenta de lo insegura que se sentía, Michel fue a sentarse a su lado.

–Hola –le dijo–. Estás muy sola, ¿y tu abuela?

–Ha vuelto a la aldea. Dice que sabe que estaré bien.

–¿Y cómo puede saberlo?

–Tiene sus métodos.

–Y ella, ¿estará bien?

–Por supuesto. El bosque es su hogar. Nadie puede hacerle daño allí.

Michel recordó a las meigas transformadas en lechuzas y se estremeció. La expresión de Lucía se dulcificó.

–Para ti debe de ser difícil aceptarlo –comentó–. Habrás recibido una sólida formación religiosa, ¿no? Y en los monasterios suelen olvidar que en el mundo existen poderes que ellos no pueden controlar.

–¿Qué poderes? ¿Acaso las meigas invocáis al demonio?

–¡Oh, no, Dios nos libre! Tomamos nuestro poder de la tierra. De los árboles, del viento, de las aguas y las criaturas del bosque. Y todo ello lo ha creado el Todopoderoso, ¿no?

–Pero hay meigas, como Fiona, que colaboran con la cofradía.

–También hay reyes malvados, y se supone que su linaje ha sido bendecido por la Iglesia. Algunas meigas, al igual que algunos reyes y nobles, e incluso papas y obispos, hacen mal uso de un poder que se les ha entregado para hacer el bien. Pero todos somos humanos, y eso no puede evitarse.

Michel meditó aquellas palabras y las encontró muy sabias. Sin embargo, no estaba del todo de acuerdo con ella: quizá sí hubiera algo que pudiera hacerse.

–Los seres humanos pueden aprender –musitó–. Si todos supieran...

La llegada de un sonriente Mattius interrumpió sus pensamientos.

–¡Ah, estáis aquí! Muchacha, si te aceptan en el gremio, serás avalada por algunos de los juglares más famosos. ¿Ves ese de la barba negra que no para de reírse? Es nada menos que Cercamón, juglar de juglares; incluso las damas de noble cuna suspiran por él, y hasta los reyes y príncipes le piden que amenice sus fiestas con sus relatos de batalla. Oirás a muchos que se hacen llamar Cercamón, porque es un nombre común entre juglares, pero solo este es el auténtico. Los demás son burdas imitaciones.

»Aquel de allá, el que va vestido de verde, es Orazio el Genovés, famoso en toda Italia no solo por sus historias, sino también –bajó un poco la voz– debido a las juergas que se corre cuando tiene algo de dinero en el bolsillo. De todas formas, una cosa es segura: no podríais encontrar un compañero de viaje más alegre.

»El rubio de aspecto melancólico es Franz de Bohemia, el más tierno cantor de poemas y desgarradoras historias de amor imposible... Sinceramente, ese no es mi estilo, pero he de reconocer que, dentro de su especialidad, él es el mejor.

»El resto son juglares locales. Aquel de las campanillas prefiere los gestos a la voz. Le he visto actuar esta mañana, y es un gran mímico. Al otro no lo conozco.

Lucía los observaba con ojos brillantes. Mattius se dio cuenta.

–De verdad, me gustaría que algún día llegases a ser como ellos –le dijo con sinceridad–, pero debes reconocer que lo tienes mucho más difícil que ninguno de los varones que se han presentado hasta ahora. La juglaría no es oficio decoroso para una mujer.

–Pero yo soy buena. Martín lo dijo.

Mattius la contempló unos instantes, pensativo, y después respondió:

–En tal caso, puede que tengas una oportunidad. Venid, la reunión va a empezar.

Los juglares se habían sentado en torno al maestro del gremio. Michel y Lucía estaban de más, y algunos les dirigían miradas interrogantes o poco amistosas. Mattius no se inmutó, y Martín no hizo nada por echar a los *intrusos*, de modo que nadie se atrevió a expresar en voz alta su desacuerdo.

Tras una breve oración a Santiago, que les permitía reunirse aquel día, los juglares comenzaron por turno a relatar las noticias que traían de todos los rincones del mundo conocido.

Así, Michel se enteró de que las relaciones del rey Roberto con Roma no habían mejorado; de que había guerra entre Bizancio y el zar de Rusia; de que el Islam avanzaba cada vez más; de que las treguas de Dios no se respetaban; de que las enfermedades, el hambre, la violencia y el miedo sacudían la Tierra.

El monje se entristeció. Pero lo que más le impresionó fue saber que, en aquel momento, la Iglesia tenía dos papas.

–El arzobispo de Plasencia se ha hecho elegir Papa –explicó Orazio el Genovés– porque nunca estuvo de acuerdo con la elección de Gregorio V, primo del Emperador. Ahora, la Iglesia está dividida.

«La Iglesia está dividida», pensó Michel horrorizado. Podía sentir las miradas de los juglares a sus hábitos de monje. «Y mientras, los vikingos siguen atacando las costas francesas y luchando por conquistar las islas Británicas. Los moros llegan al mismísimo Santiago, se rompen las treguas de Dios, la gente pasa hambre... Efectivamente, este es el fin del mundo».

Los juglares habían terminado de contar noticias. Guiados por Martín, comenzaron a recitar cantares y relatos que habían aprendido recientemente.

Michel y Lucía nunca habían visto nada semejante. El espectáculo de los juglares ampliando su repertorio, preguntándose unos a otros acerca de tal o cual canción o leyenda, escuchando con atención para memorizar letras ritmos, melodías... era impresionante.

Siempre se había menospreciado el oficio de juglar. Se decía que el juglar lo era por rebeldía o necesidad. Antes de conocer a Mattius, a Michel jamás se le había ocurrido la idea de que pudiera haber juglares por vocación.

Así pasaron algunas horas. Ya era noche cerrada cuando María trajo la cena para todos y se tomaron un descanso.

—Esto es sorprendente —le dijo Michel a Martín—. Alguien debería ponerlo todo por escrito.

El maestro se sintió ofendido.

—¿Por escrito? ¿Por qué? ¿No te fías de nuestra memoria?

–No, no quería decir eso. Pero debería conservarse para... para cuando vosotros ya no estéis. Puede que otros no tengan tan buena memoria.

–No es buena idea. Un cantar está para ser cantado. Si lo escribes, la gente que lo lea en un futuro no conocerá la música, los gestos, la actuación... Un cantar no es solo la letra. Poner por escrito algo que circula por el aire es como encerrar un pájaro silvestre en una jaula.

Michel no estaba de acuerdo.

–Pero alguien tuvo que escribir el cantar antes de que los juglares lo recitaran. ¿Quién fue el primero?

–Eso no importa. La gente quiere escuchar el poema, no saber quién lo escribió. Y ten por seguro que un juglar solo conserva un manuscrito hasta que se lo ha aprendido de memoria.

–Pero sería más fiable al original si permaneciera escrito.

–¿Fiable? Los cantares son como gotas de agua. Cambian según la forma del recipiente. No importa el recipiente, el cantar seguirá siendo en esencia el mismo, aunque cada juglar lo recite de manera diferente. Ninguna de las versiones es la verdadera, y todas lo son.

Esto dejó muy confundido a Michel.

–Pero tuvo que haber un original...

–Mira, muchacho –cortó Martín, que empezaba a perder la paciencia–. No hay ningún amanuense dispuesto a copiar la mitad de las historias que conocen los hombres que están hoy aquí reunidos. Y no existe suficiente pergamino ni vitela en toda Europa para escribir todo lo que sabemos en el gremio de juglares.

Michel enmudeció. Aunque la afirmación del maestro le parecía un tanto exagerada, tenía razón en cuanto a que los manuscritos eran un bien sumamente escaso. Los sabios solo prestaban atención a los cantares cuando estos relataban acontecimientos históricos importantes; entonces, si no existía otra fuente, los incorporaban a sus crónicas.

Mattius había oído por casualidad parte de la conversación, y sonrió. Martín y Michel pertenecían a dos culturas distintas. El joven monje había crecido entre libros; el veterano juglar, aunque sabía leer, prefería confiar más en su oído y en su memoria que en la palabra escrita.

Después de cenar, el maestro del gremio de juglares los reunió a todos de nuevo en torno a sí y les anunció que la joven Lucía quería entrar en la sociedad. Nadie le contradijo, pero a los labios de los juglares asomó una sonrisilla escéptica.

Lucía decidió no hacerles caso. Consciente de lo que aquellos hombres pensaban de ella, se plantó frente a ellos con su pandereta y recitó un poema sobre la leyenda de la batalla de Clavijo, en la que –se decía– Santiago Matamoros había aparecido a lomos de un caballo blanco para ayudar a los cristianos en la lucha contra el infiel. Concluyó su actuación con un elocuente grito:

–¡Santiago y cierra España!

Y esperó conteniendo el aliento. Estaba segura de haberlo hecho bastante bien; su voz había vibrado en los momentos cumbre y apenas se había quedado en blanco.

Pero la expresión de los juglares no había cambiado.

–Has desafinado en la parte final –comentó Cercamón.

–Y has perdido el ritmo varias veces –añadió otro juglar, cuyo nombre ignoraba Lucía.

–Gesticulas poco.

–Y no cambias la voz cuando hablan distintos personajes.

–Decididamente –concluyó Franz de Bohemia encogiéndose de hombros–, la voz de una mujer no es apropiada para un cantar épico. Mejor dedícate a las baladas de amor.

Lucía no sabía si llorar de frustración o estallar de indignación.

–Pues a mí me ha gustado –dijo entonces Mattius suavemente–. Para ser una novata, no recita mal.

Todos enmudecieron y lo miraron, pasmados.

–¿Es esta joven protegida tuya? –inquirió Orazio el Genovés; era una forma suave de preguntar si mantenía una relación sentimental con ella.

Lucía enrojeció. Iba a decirle cuatro cosas, pero Mattius se le adelantó:

–Es la tercera vez que veo a esta chica en toda mi vida –respondió con calma–. Me salvó el pellejo en una ocasión y ya aquella noche me dijo que quería ser juglaresa. No la escuché entonces, ni pensaba hablar en su favor hasta que la he oído cantar hoy. Amigos, tenéis que reconocer que hemos oído cosas mucho peores.

–¡Hum! –dijo Orazio rascándose la barba–. Tienes razón.. ¿Le has advertido que muchas empiezan como ella y terminan de soldaderas o prostitutas?

–¡Yo no pienso...! –empezó Lucía, pero el juglar la interrumpió con un gesto:

–Eso dicen todas, muchacha. Pero son tiempos difíciles, y una mujer está mucho más segura si tiene un techo sobre su cabeza.

–Aunque, si eres buena y sabes cómo hacerte respetar, quizá no te vaya tan mal –añadió Cercamón.

–Necesitaría un buen maestro –admitió Lucía; evitó mirar a Mattius, pero este se sintió aludido de todas formas.

Los juglares dirigieron entonces su mirada a Martín, para que decidiera.

El maestro había estado considerando la situación.

–Yo la admitiría como aprendiz –dijo finalmente–, si hay alguien dispuesto a enseñarle y ser su maestro y mentor. Cuando la joven esté preparada, habrá de volver aquí y la examinaremos de nuevo para aceptarla como miembro de pleno derecho. Merece al menos esa oportunidad. ¿Alguien quiere adoptarla como aprendiz? –añadió mirando a su alrededor.

Nadie dijo nada, pero Mattius asintió con la cabeza.

–Yo lo haré –dijo con un suspiro resignado–. Ya sabéis que no me gusta la compañía, pero, gracias a mi amigo el monje, ya me voy acostumbrando un poco a ella. Además, la muchacha me salvó la vida. Si sigue empeñada en ser juglaresa a pesar de nuestras advertencias, creo que lo menos que puedo hacer es guiarla y protegerla.

Martín asintió, mientras Lucía se contenía para no dar un grito de alegría.

–Me parece justo. ¿Alguien tiene algo que objetar?

Nadie dijo nada.

–Entonces –concluyó el Maestro–, la joven Lucía queda admitida como aprendiz en el gremio de juglares. Aprenderá de Mattius el arte juglaresco hasta que esté preparada para presentarse aquí otra vez.

Los juglares se miraron unos a otros, por si alguien tenía alguna cosa que añadir. Mattius hizo una seña a Martín con la cabeza. Este captó el gesto.

–Una última cuestión –dijo–. Mattius se encuentra en unas circunstancias muy peculiares y tiene una extraña historia que contaros.

Mattius vio que la atención de sus compañeros se centraba en él, y relató una vez más todo lo que le había ocurrido desde el año anterior.

No le interrumpieron en ningún momento. Cuando acabó, las reacciones fueron diversas. Orazio el Genovés cruzó los brazos con escepticismo. Otros, como Franz de Bohemia, se sintieron intimidados ante las visiones apocalípticas que había descrito Mattius. Y Cercamón se mostró vivamente interesado por el Eje del Presente, y le pidió a Michel que se lo enseñara.

La joya circuló por toda la habitación; los juglares se guardaron mucho de tocar la piedra tras las advertencias del muchacho, y cogieron el Eje por el engarce.

–He oído hablar de esa cofradía –dijo entonces Cercamón–. Aunque su sede esté en Aquisgrán, tienen seguidores en muchos sitios. Pero son discretos; si el Papado no tuviera tantos problemas, ya los habría excomulgado por herejes. Se dice que adoran al diablo y que van predicando el fin del mundo.

–¿Qué pides, Mattius? –preguntó Orazio–. ¿Que os acompañemos para que os podáis proteger mejor de esa gente?

–En realidad, no. Solo quería escuchar vuestra opinión. No se me había pasado por la cabeza la idea de que vinierais conmigo. Llamaríamos demasiado la atención.

–O no. No tiene nada de extraordinario que una compañía de juglares viaje de pueblo en pueblo. Yo iría contigo si me lo pidieras.

Mattius le dirigió una mirada dubitativa.

–Yo también quiero acompañaros –dijo Cercamón.

Martín sondeó al resto de juglares, pero todos bajaron los ojos ante su mirada. Solo Orazio y Cercamón parecían resueltos a seguir adelante con su decisión.

Mattius consultó a Michel con la mirada. Este se encogió de hombros. Los dos juglares eran altos y fuertes.

–El problema es que, después de la ermita –dijo Michel–, no sabemos adónde tendremos que ir a buscar el Eje del Pasado. A menos que alguien sepa qué es el Círculo de Piedra y dónde se encuentra.

Los juglares se miraron unos a otros, interrogantes. Nadie había oído nunca hablar de algo semejante.

–Nosotros te acompañaremos hasta donde podamos –afirmó Cercamón, y Orazio asintió para corroborarlo.

–Muy bien –decidió Mattius–. Entonces, partiremos mañana mismo.

Lucía observaba la escena con cierta preocupación. María, la esposa de Martín, creyó adivinar sus pensamientos.

–Te tratarán bien –le dijo en voz baja–. Ahora eres miembro del gremio. Estos hombres tienen un curioso sentido del honor. Solo son fieles a sí mismos... y al gremio.

Lucía intentó sonreír. En aquella habitación no solo se trataba su futuro y seguridad. Por primera vez oía íntegra la historia de Mattius y Michel, y acababa de enterarse de que, por lo que parecía, faltaba poco más de un año para la llegada del fin del mundo. No era una noticia tranquilizadora, pero a María no parecía preocuparle. Era una mujer sencilla que, como esposa de un maestro de juglares, había oído cientos de historias sorprendentes.

• • •

Cuando Mattius salió de la casa al día siguiente, estaba lloviendo.

El juglar se estiró bajo el umbral. Michel estaba desayunando aún, y Cercamón había ido a arrancar a Orazio de debajo de las sábanas; como de costumbre, el Genovés había prolongado su velada en la taberna más cercana. Mattius sonrió contemplando la lluvia. Cercamón tardaría aún bastante en conseguir que Orazio se pusiera en pie.

Protegido por la cornisa, avanzó hacia el establo, pegado a la fachada de la casa. Se detuvo en la puerta, al ver que había alguien junto a sus caballos: un muchacho delgado que estaba terminando de ajustar las alforjas al lomo del animal. Debía de ser un sirviente de Martín, pero Mattius no recordaba que los tuviera. Entonces el joven se volvió hacia él, y Mattius se sintió estúpido. No era la primera vez que cometía aquel error. Estaba demasiado acostumbrado a ver a las mujeres con faldas.

–Solo hay dos caballos, y seremos cinco personas –explicó Lucía con una sonrisa; parecía encontrarse muy cómoda con ropas masculinas–. Se me ha ocurrido que podemos usarlos como bestias de carga.

–Yo no suelo llevar mucho equipaje.

–Será necesaria comida para varios días. La vía del sur no es segura desde que la tomaron los moros, así que iremos por el norte y tendremos que atravesar una zona de bosque cerrado. No hay caminos, solo senderos muy estrechos. Y nada de aldeas hasta llegar al mar.

–Pero habrá animales, ¿no? Ya cazaremos algo.

Ella sonrió, pero negó con la cabeza.

–Yo no te aconsejaría abandonar el sendero. Puede que te descuides y no seas capaz de volver a encontrarlo.

Mattius no respondió. Salió del establo sin una palabra.

En la puerta de la casa esperaban ya Cercamón, Michel, Orazio –bostezando ruidosamente– y Sirius.

Martín salió a despedirlos. Mattius no creía mucho en las bendiciones, pero aceptó la del maestro del gremio de juglares humilde y agradecido.

–Tened cuidado, hijos míos. Y que Dios y Santiago os acompañen.

Los juglares y el monje asintieron. Lucía ya sacaba los caballos del establo.

Los ojos de Martín despidieron un destello luminoso.

–Y cuando volváis –concluyó–, pasad por aquí para contarme todo lo que hayáis visto.

Cercamón sonrió.

–Lo haremos, maestro –dijo–. Y lo contaremos en cantares.

● ● ●

Salieron de Santiago con una fina lluvia calándoles los huesos. Lucía iba a la cabeza, seria, decidida, avanzando por un sendero comido por helechos y matojos de un verde brillante. Michel y los juglares la seguían. Mattius y Orazio guiaban un caballo cada uno.

Pronto la marcha tuvo que hacerse más lenta. La lluvia arreció, las piedras del camino estaban resbaladizas y los cascos de los caballos tropezaban una y otra vez. Un poco más allá, frente a ellos, un bosque impenetrable les cerraba el paso. No era un panorama alentador, pero Lucía seguía adelante, y los demás, para no ser menos, le iban a la zaga sin el menor comentario.

Penetraron en una zona prácticamente virgen. Los árboles se elevaban altísimos y los helechos invadían con frecuencia el estrecho sendero que los guiaba. Cuando llovía, el bosque parecía más salvaje, oscuro y amenazador; pero cuando lucía el sol, se llenaba de sombras y claroscuros, y los sonidos de los animales desde la espesura les ponían los pelos de punta.

Ninguno lograba dormir bien por las noches, pese a que Sirius estaba de guardia. Ni aun en los días más secos dejaba de estar húmedo el suelo, y resultaba difícil encontrar, en aquel bosque tan cerrado, un sitio lo bastante amplio como para poder estirar las piernas.

Los cinco compañeros no hablaban mucho entre ellos. Si alguien iniciaba una conversación, esta derivaba invariablemente hacia el peligro de un ataque moro, la dureza de la marcha o –lo que era peor– el Apocalipsis que se acercaba. Incluso el infatigable Orazio, que hablaba por los codos al salir de Santiago, había perdido las ganas de hacer comentarios.

Avanzaban lentamente, y el bosque les parecía siempre igual; pero un día la espesura se despejó un poco y el sendero se abrió ante ellos: llegaban a la orilla de un río. Más allá, al otro lado, el bosque se hacía más claro.

–¡Menos mal! –estalló Orazio–. Me sentiré mucho mejor en cuanto crucemos este río.

Lucía se volvió hacia él y le indicó silencio.

–Ahora es cuando más peligro hay –dijo en un susurro–. Los moros no suelen adentrarse en un bosque como este; pero nada les impide acercarse a la costa.

Mattius estudiaba el río con aire crítico. Michel se hallaba junto a él.

–¿Sabes nadar? –le preguntó el juglar al muchacho.

Este palideció. Lucía les dirigió una sonrisa.

–Lo siento, es temporada de lluvias –dijo–. El río está muy crecido.

Michel recordó de pronto algunas zonas que había visitado, donde la sequía se había llevado las cosechas y las vidas de los niños. Lucía malinterpretó su aire de tristeza.

–No te preocupes, hay un puente algo más al sur –le informó–, aunque supondrá desviarnos un poco.

La marcha continuó por la ribera del río hacia el sur, hasta que tropezaron con un antiquísimo puente de piedra. Una vez al otro lado, avanzaron con más cautela. Los árboles ya no abundaban tanto, y podían ser presa fácil.

–Aunque no es probable que Al-Mansur siga por aquí –dijo Lucía–, sí es posible que haya dejado algún destacamento. Estamos muy al norte, pero no lo bastante todavía. Esto es aún territorio fronterizo. Hasta aquí ha llegado el Islam.

Al caer la tarde comenzaron a notar la fresca brisa marina. Lucía señaló unas lomas en el horizonte.

–Allá detrás se ocultan los acantilados. Contra ellos baten las olas del mar Océano.

Pronto abandonaron el abrigo protector de los árboles. El camino siguió a través de un campo de hierba brillante hasta avanzar, serpenteando, entre dos altas colinas.

Ya atardecía cuando Sirius se detuvo y olfateó el aire.

–Esperad –dijo Mattius parándose junto a él–. No sigáis por ahí.

Los otros se volvieron hacia ellos, interrogantes. Mattius parecía inquieto. El perro gruñía por lo bajo, con la piel del lomo erizada.

–Sirius no se preocupa por nada –dijo Mattius, receloso–. Mucho me temo que no nos aguarde nada agradable ahí delante.

Cercamón miró a su alrededor. Estaban en un punto en que el sendero se estrechaba entre las dos lomas, y torcía hacia la derecha un poco más adelante.

–Este es un sitio perfecto para una emboscada –asintió–. Mejor será que volvamos atrás.

Iban a hacerlo cuando unas figuras altas les salieron al paso. Tras ellos, más hombres les cerraron el camino. Estaban atrapados.

Era un grupo de diez. Algunos iban a pie y otros a caballo, pero todos llevaban las holgadas ropas flotando al viento y las cimitarras colgadas al costado. Los miraban con unos ojos negros y penetrantes brillando en sus rostros de piel oscura. Sobre ellos ondeaba una bandera con el emblema de la media luna.

–Estamos perdidos –musitó Michel.

Sirius se lanzó sobre el moro más adelantado, ladrando y gruñendo, pero este lo rechazó de un estacazo. El animal gimió, reculó un poco y se volvió de nuevo hacia el hombre, dispuesto a repetir el ataque. Mattius lo llamó a su lado porque sabía que no tenía la más mínima oportunidad contra diez hombres armados, pero el perro no le obedeció y cargó de nuevo contra el moro. Un segundo garrotazo lo puso fuera de combate definitivamente.

–¡Sirius! –gritó Mattius, y corrió hacia él.

Los moros no se lo impidieron. Tras ver que su perro no estaba muerto, sino solo inconsciente, Mattius miró a su alrededor. Pese a la resistencia de Orazio y Cercamón, los moros los había reducido y los ataban a todos para desvalijarlos.

Estaban prisioneros. Mientras otro de los sarracenos le amarraba las manos a la espalda, Mattius decidió que era inútil resistirse. Los pusieron a todos juntos para vigilarlos mejor.

–¿Nos matarán? –susurró Michel al oído de Mattius.

Este no respondió. Estaba más pendiente de Lucía, que hacía todo lo posible para disimular su condición de mujer, tapándose el rostro con las greñas sucias de su cabello castaño. Con suerte, los moros no repararían en ella y la tomarían por un muchacho. En ciertas circunstancias, para una doncella cristiana era mejor morir que ser enviada al serrallo de algún noble granadino o cordobés.

Cercamón dio un breve codazo a Mattius. Ambos entendían un poco de árabe. Era importante saber qué opinaban los moros de ellos.

Sus captores examinaban las pertenencias de los viajeros. Presentaron ante el que parecía ser el jefe un confuso montón de laúdes, rabeles, zanfonías y panderetas. Cuando este se inclinó y tomó entre las manos uno de los rabeles como si fuera un tesoro, Mattius adivinó que habían tenido suerte: era aficionado a la música. Pero él no sabía nada de la música árabe, y dudaba que Cercamón conociera mucho más.

Los moros conversaban entre ellos. El capitán asintió, pensativo. Sus ojos se detuvieron en el monje, y sus labios se curvaron en una extraña sonrisa. Mattius reprimió una maldición. Llevaba más de un año tratando de convencer a Michel de que cambiara sus gastados hábitos por algo que llamara un poco menos la atención, pero no había tenido éxito.

A una seña de su cabecilla, varios de los guerreros agarraron al monje y lo desvalijaron. El muchacho apenas trató de resistirse: estaba aterrado.

Los moros depositaron ante su jefe el zurrón de Michel. Dentro estaban la copia del códice de Beato de Liébana, los manuscritos de Bernardo de Turingia y el saquillo con el Eje del Presente.

El moro examinó el libro y frunció el ceño ante las impactantes ilustraciones sobre el Apocalipsis. Mattius sintió cómo todo su cuerpo entraba en tensión cuando tomó el saquillo, y dirigió una mirada a Michel; este, sin embargo, observaba al moro con expectación, como si aguardara que pasara algo. «Probablemente», se dijo

Mattius, «está esperando que arda en llamas por atreverse, siendo infiel, a tocar un objeto tan sagrado».

Pero el moro no ardió en llamas, aunque sí se quemó la piel al coger la piedra, exactamente como le había sucedido a Michel en la cripta de Carlomagno. Sin embargo, en lugar de arrojar el eje contra las piedras del camino, el infiel lo cogió con más cuidado, procurando no tocar la gema, y lo examinó con una mezcla de curiosidad, suspicacia y temor reverente. Alzó entonces el eje hacia el sol y miró a través de él.

Y todos vieron con sorpresa cómo su rostro se transfiguraba en una expresión de asombro y espanto. Gritó algo y dejó caer el eje. Su semblante duro e impenetrable, curtido por el sol, por el viento, por la lluvia y por mil penalidades, estaba pálido como la cera.

Mattius se preguntó qué había visto aquel hombre a través del Eje del Presente. Por los gestos de sus captores, estaba claro que ellos también se lo estaban preguntando.

El capitán se inclinó de nuevo y recogió el amuleto con sumo cuidado. Después se acercó a Michel, lo alzó frente a él y le dijo algo que el muchacho no entendió y que Mattius no llegó a oír. Y depositó el eje en el suelo, a sus pies.

Con una inclinación de cabeza y un curioso saludo, el moro se separó de Michel y se dirigió a sus hombres dándoles unas órdenes que Mattius identificó como de retirada. Ellos mostraron sorpresa, pero no discutieron.

Momentos después, se alejaban hacia el sur, y pronto los perdieron de vista.

Nadie dijo nada hasta que el ruido de los cascos se apagó. Entonces, Orazio reaccionó.

–Oye, Cercamón, no te quedes ahí pasmado. Llevo una daga en mi bota. A ver si puedes alcanzarla. Esos hijos de Satanás podrían habernos soltado, por lo menos.

Cercamón no se movió, pero Mattius se apresuró a aproximarse al italiano y tratar de recuperar el puñal. Una vez hecho, lo sujetó entre las manos para que Orazio frotara las cuerdas contra su filo. Estaban espalda contra espalda, en una posición más bien incómoda, pero no se dieron por vencidos, y finalmente lograron soltar las cuerdas. Momentos después, todos estuvieron libres.

–No puedo creer que no se hayan llevado nada –comentó Lucía, con un silbido de admiración, mientras examinaba las alforjas–. Ni siquiera han cogido nuestros caballos. ¿Habrá visto el moro algo que nos haya pasado desapercibido a todos nosotros?

Michel cogió el eje al punto y miró a través de él, como había hecho el capitán musulmán. Solo vio un sol de un curioso color púrpura.

–Dicen que ellos pueden ver las cosas de distinto modo a nosotros –musitó Cercamón, todavía pálido.

Mattius le miró y se preguntó qué podía haberle impresionado tanto. Entonces recordó que él había estado junto a Michel cuando el musulmán le había hablado.

El monje pareció tener la misma idea.

–¿Has entendido lo que me ha dicho el moro, Cercamón? –preguntó.

El juglar asintió.

–Dijo que poseías la mirada de Alá y que Alá te acompañaría para que realizases tu misión.

Michel se sintió tan impresionado que ni siquiera frunció el ceño al oír mencionar el nombre de Alá.

Todavía sin acabar de creerse su buena suerte, volvieron a cargar los caballos y siguieron adelante.

● ● ●

Anochecía ya cuando el mar se abrió ante ellos con un espectáculo sorprendente: la desembocadura del río se ensanchaba de tal forma que el océano parecía querer penetrar en ella; agua salada y agua dulce se fundían.

–Una ría –dijo Lucía al ver que todos se paraban a mirarla–. ¿Nunca habíais visto ninguna?

Junto a la desembocadura del río había una aldea de pescadores. Un sendero estrecho y retorcido que bordeaba la ría llevaba directamente a ella.

–No tiene murallas –observó Michel mientras avanzaba por la vereda con cierta dificultad–. Los moros estaban muy cerca. ¿Cómo se defienden?

–No creo que necesiten defenderse –respondió Cercamón–. Un pequeño pueblo pesquero no interesa a nadie. No tienen nada que robar ahí. Las conquistas se hacen por ciudades.

–Pero en tiempos de necesidad no se libra nadie –añadió Mattius–, y seguro que sufren de vez en cuando algún ataque vikingo. No me extrañaría que esa gente viviera con el miedo en el cuerpo. No les vendrá mal una compañía de juglares que amenice las veladas.

En la aldea los acogieron amablemente. Era un lugar tan apartado que no hablaban castellano. Lucía preguntó en gallego por su situación exacta, y asintió tras las indicaciones.

–Lo que yo me imaginaba –les dijo a sus compañeros–. La senda a través del bosque no era recta. Aún nos quedan uno o dos días de camino hacia el norte.

Se alojaron aquella noche en una pequeña posada y actuaron para prácticamente todos los habitantes del pueblo, reunidos en la plaza. Por turnos, los tres juglares contaron historias y recitaron cantares.

Lucía estaba sentada junto a un abrevadero de piedra observando detenidamente a Orazio, que actuaba en aquellos momentos. El italiano solo conocía una balada en gallego, y a menudo pronunciaba mal alguna palabra, pero se desenvolvía bastante bien.

De pronto, la joven sintió que una mano le aferraba el hombro.

–No dejes de mirarle –dijo la voz de Mattius tras ella–. Estudia todos sus movimientos. Verás que su acento gallego no es muy bueno, pero lo disimula con el tono de la canción. ¿Conoces lo que está recitando?

–Sí... Pero yo no lo he aprendido exactamente igual.

–Eso es. Cada romance, cada poema, cada canción cambia según el intérprete. Y otra cosa: la vez que te vi actuar estabas muy rígida. ¿Ves a Orazio? Tienes que llegar a alcanzar esa soltura de movimientos. ¿Has entendido?

Lucía asintió.

–Formidable. Demuéstramelo. Cuando acabe Orazio entras tú.

La joven se volvió hacia él sorprendida, pero el juglar ya se alejaba hacia Cercamón, que contemplaba la actuación en pie junto a la puerta de la posada, con la espalda apoyada en la pared de piedra. Lucía vio cómo los dos conversaban entre ellos y los ojos de Cercamón se clavaban en ella.

El genovés acabó su actuación con una airosa reverencia. A Lucía le gustó el gesto, y tomó nota para ensayar algo parecido. Cercamón salió entonces a escena y, cuando se acallaron los aplausos, anunció en gallego que en aquella compañía de juglares extranjeros había uno que pertenecía a aquella tierra, y que sabría interpretar mejor que nadie las baladas galaicas. Señaló a Lucía con un gesto grandilocuente, y la muchacha enrojeció cuando sintió todas las miradas clavadas en ella. Pero percibió también la de Mattius dándole ánimos.

Respiró profundamente. No era una audiencia muy amplia ni exquisita. Probablemente a su «tutor» le había parecido estupendo para empezar.

Haciendo de tripas corazón, con una amplia sonrisa y las mejillas aún arreboladas, salió al centro de la plaza y saludó con bastante gracia. Alguien gritó por el fondo que se pusiera una falda y enseñara las piernas, pero ella no hizo caso. Echó mano a su memoria en busca de los cantares y baladas en gallego que conocía, y eligió una muy sencilla, pero muy tierna, sobre un caballero que entraba en un bosque encantado y debía liberar a una doncella. La había escuchado en su niñez y le traía recuerdos de tiempos mejores, de forma que la interpretó con soltura y emotividad, casi olvidándose del público que la observaba.

Cuando finalizó, se inclinó ante el auditorio con las mejillas ardiendo. La recibió una salva de aplausos, y nadie se atrevió a hacer el menor comentario acerca de su condición de mujer.

Lucía dio las gracias y miró a Mattius, que le indicó con gestos que continuara con otra cosa.

Pero ella no tenía preparada otra cosa. Conocía muy pocos poemas en gallego, aparte de cantarcillos de muchachas enamoradas que se lamentaban de la ausencia del amigo. Recordó entonces una historia que había oído alguna vez, en alguna parte, acerca de un muchacho raptado por los vikingos junto al mar. El joven había llegado a ser un gran guerrero vikingo, pero a su vez iba extendiendo el cristianismo entre sus nuevos compañeros. Lucía podía reproducir la música y recordaba el argumento, pero no estaba segura de poder reinventarse la letra sobre la marcha.

Tragó saliva y comenzó a relatar la historia. Era obvio que no dominaba el tema, y se sintió desfallecer al advertir que los pescadores estaban extremadamente serios. «No les está gustando», pensó ella, pero siguió cantando.

Por suerte, era un poema muy breve. Cuando acabó, aún le temblaban las piernas.

Sin embargo, su actuación fue acogida con una extraordinaria ovación, aunque los rostros del público seguían sin sonreír.

–¿Qué diablos ha pasado? –preguntó Orazio a Mattius, pero este se encogió de hombros.

Lucía corrió hacia ellos.

–¿Lo he hecho bien? –jadeó–. ¿Por qué me habéis hecho cantar dos veces seguidas?

–Porque no conocemos más historias en gallego –confesó Orazio con una mueca–. Se nos había acabado el repertorio.

Un pescador se aproximó a ellos con lágrimas en los ojos y le dio las gracias a Lucía efusivamente. Hablaba deprisa, y los juglares no entendían qué pasaba. Cuando la muchacha se volvió, estaba pálida y ya no sonreía.

–La historia del joven raptado por los vikingos... –dijo.

–¿Qué?

–Sucedió aquí. Este hombre era su hermano.

Los demás quedaron sorprendidos. Mattius sonrió con orgullo. Esas cosas solo podían hacerlas los juglares.

–Has estado magnífica –le dijo a Lucía–. Solo te falta un poco más de práctica y, por supuesto, aprender muchos cantares.

–¿Muchos? ¿Como cuántos?

–Tantos como tu memoria sea capaz de retener.

● ● ●

Al día siguiente, muy temprano, salieron del pueblo y prosiguieron su viaje hacia el norte. Dos días más tarde llegaron a un pequeño poblado pesquero dispuesto en la parte sur de un cabo que se proyectaba hacia el océano. Aquella situación resguardaba al pueblo de las grandes olas que batían los acantilados al otro lado de la estrecha lengua de tierra.

–Esto es Fisterra –anunció Lucía–. En castellano lo llaman Finisterre.

Michel se sobresaltó, se puso pálido y empezó a balbucear algo.

–¿Qué pasa? –interrogó Mattius, ceñudo.

–Yo... este... –comenzó a enrojecer–. Creo que interpreté mal el pergamino. Decía *Finis Terrae*. Creí que se refería al fin del mundo. No imaginé que podía haber un pueblo con ese nombre. Si hubiera sido más perspicaz, podríamos haber llegado aquí hace meses.

–*Finis Terrae* –dijo Cercamón, pensativo–. El lugar donde la Tierra se acaba. ¿Por qué se llama así?

–Es la punta más occidental de la península Ibérica, y dicen que del mundo –explicó Lucía–. Más allá no hay nada.

–Chica lista –comentó Mattius–. Lo has adivinado antes que cualquiera de nosotros. ¿Estás segura de que aquí hay una ermita?

–Creo recordar que sí. Más allá, en el extremo del cabo. En lo alto de un acantilado.

–Hay tiempo para ir a la ermita antes del anochecer –dijo Cercamón estudiando la posición del sol–. Luego, cuando hayamos cogido esa... cosa, pasaremos por el pueblo, a ver qué nos dan por una buena actuación.

Todos estuvieron conformes y siguieron adelante, hacia la punta del cabo. Atravesaron el pueblo y mucha gente los vio; dijeron que iban a visitar la ermita y que volverían para actuar por la noche. La noticia causó un gran revuelo. No eran muchas las visitas que recibía aquel rincón tan apartado del mundo.

El sol empezaba a declinar cuando alcanzaron la ermita, una antiquísima construcción de piedra cubierta de musgo y liquen.

–Debería estar aquí –susurró Michel–. Si me he equivocado, ya no sabré dónde buscar.

Entraron en la ermita, baja, pequeña y oscura. Dentro, un leve rayo de luz entraba tímidamente a través de una estrecha ventana. Al fondo había una figurilla de barro que representaba a la Virgen; a sus pies, un ramillete de flores ya marchitas era todo lo que quedaba de una plegaria ofrecida por alguna chiquilla del lugar.

–Os espero fuera –dijo entonces Lucía; su voz sonaba algo ahogada–. No me gusta sentirme encerrada.

Nadie le respondió, pero ella salió de todas formas.

Michel avanzó y se arrodilló frente a la Virgen, con respeto. Cerró los ojos y elevó una oración silenciosa. Tras él, los tres juglares y el perro guardaban un silencio sobrecogido.

Instantes después, Michel se incorporó y se aproximó a la estatuilla. Con gesto grave, la tomó entre sus manos y la depositó en el suelo. Levantó entonces la parte superior del pedestal de piedra: estaba hueco. Dentro había un pequeño paquete. Michel lo cogió con un escalofrío y lo desenvolvió. Alzó el objeto hacia el rayo de luz.

–Es el Eje del Futuro –musitó.

Mattius exhaló un suspiro de alivio.

–Salgamos de aquí... –empezó, pero entonces el perro comenzó a gruñir mirando hacia la estrecha entrada de la ermita.

–¿Moros otra vez? –murmuró Orazio.

–No –dijo Mattius, sombrío–. Me temo que es algo peor. Coged vuestras armas, si es que lleváis. Tú, Michel, quédate aquí dentro. Intentaremos protegerte.

Sirius lanzó un potente ladrido y se precipitó hacia el exterior.

● ● ●

Fuera, Lucía había dado la vuelta al edificio y descendido un poco por el acantilado. De pie sobre la roca, contemplaba el mar insondable y la línea donde el mundo se acababa. Recordó las leyendas que se contaban acerca de los terribles monstruos marinos que habitaban allí, y se estremeció.

Cerró los ojos. Sintió el viento azotándole el rostro y sacudiéndole los cabellos, y oyó el bramido de las olas al chocar contra la escollera.

Y entonces, de pronto, vio en su mente una imagen perdida en la bruma de los siglos: un grupo de enormes piedras verticales, como las que había descubierto alguna vez en olvidados rincones del bosque galaico. Pero estas rocas, en lugar de erguirse solitarias, o en grupos de tres o cuatro, sostenían piedras horizontales y formaban un gran círculo.

Lucía abrió los ojos, sobresaltada. Nunca había visto un círculo de piedras como el de aquella imagen, pero le había parecido tan vívido como un recuerdo, y le resultaba poderosamente familiar. Sacudió la cabeza. A veces tenía visiones de ese tipo: era parte de los poderes heredados de su abuela. No sabía qué significaba, pero seguro que entre Michel y Mattius sabrían interpretarla.

Sonrió, satisfecha. Por fin parecía que las cosas empezaban a funcionar.

● ● ●

Los juglares habían salido de la ermita y no vieron a Lucía, que estaba al otro lado, pero se tropezaron con un viejo conocido esperándolos fuera.

—García —dijo Mattius—. Qué desagradable sorpresa.

El maestre de la Cofradía de los Tres Ojos sonrió. Esta vez no llevaba meigas consigo, sino un grupo de hombres armados.

–Me temo que vais a tener que dejar el eje donde lo encontrasteis. Y, por descontado, nos encargaremos de que el otro amuleto vuelva a su lugar.

Mattius iba a decir algo, pero García hizo un gesto con la cabeza y sus hombres se lanzaron sobre los juglares. Orazio había sacado su daga, Cercamón enarbolaba su bordón y Mattius tenía a su perro. Sin embargo, sus oponentes eran más y, aunque lucharon con valentía, nada pudieron hacer. Mattius vio, en un instante, a Orazio cayendo inconsciente tras recibir un golpe en la cabeza, y a Sirius desangrándose en el suelo; y deseó no haber visto el filo de una espada hundiéndose en el pecho de Cercamón, que se desplomó sin un gemido.

Se dio la vuelta un brevísimo momento para ver si podía coger el bordón de su amigo, pero algo silbó junto a su oído, sintió un agudo dolor en la sien y todo se oscureció. Oyó varias voces entre las brumas.

–Señor, dentro de la ermita no hay nadie.

–¿Cómo...? ¿Y el monje?

Una autoritaria voz femenina intervino en la conversación:

–¡Dejadlos marchar!

–¡Pero...! –protestó García.

El último pensamiento de Mattius fue para Michel: si no estaba en la ermita, ¿dónde se había metido?

• • •

Un extraño cántico fue lo primero que le recibió cuando recobró la conciencia. Hizo un esfuerzo por abrir los ojos, pero la luz era tan hiriente que le obligó a tenerlos cerrados. El cántico cesó.

–No te muevas –dijo suavemente la voz de Lucía–. Tienes un feo corte en la cabeza.

Poco a poco fue recuperándose, y por fin pudo abrir los ojos.

Se hallaba en un cuartito de una humilde casa de pescadores, tendido sobre un jergón de paja. Cerca de él yacía Orazio, pálido pero sonriente, con una aparatosa venda en la cabeza y el brazo en cabestrillo.

–Buenos días –saludó el genovés–. ¿Cómo te encuentras?

Mattius iba a decir algo, pero no pudo. Percibió un movimiento junto a su cabecera y se giró un poco, justo para ver a Lucía machacando algo en un mortero. La muchacha se volvió hacia él y le sonrió.

–No te muevas –le advirtió–. Puede que esto te escueza un poco.

Le estaba cambiando las vendas. Extendió sobre la gasa la sustancia del mortero y se la aplicó a la herida entonando su misteriosa canción en el lenguaje de las meigas, aquella curiosa mezcla de gallego y palabras desconocidas. Inmediatamente, Mattius dio un respingo.

–Ya te lo dije: escuece. Pero no te preocupes: se te pasará.

–Hazle caso, Mattius –dijo Orazio–. Estabas fatal cuando salimos de la ermita. Yo te di por muerto, pero Lucía ha conseguido salvarte, y también a ese perro tuyo.

–¿Y Cercamón?

El rostro de Orazio se ensombreció.

–Más vale que descanses, amigo. Ya hablaremos cuando estés bien.

Mattius no tenía intención de hacerle caso, pero su cabeza no resistió mucho más. Cayó en un profundo sueño.

● ● ●

Pasaron tres semanas antes de que Mattius estuviera en condiciones de levantarse y de intentar averiguar qué había pasado. Una vez lo hizo, las noticias no resultaron reconfortantes.

–Lo oí todo desde el interior de la ermita –explicó Michel–. No tenía mucho tiempo, así que intenté escapar por la ventana, y lo conseguí, aunque salí lleno de arañazos y por poco me quedo ahí atascado. Trepé hasta el tejado y me escondí tras el pedestal de la cruz de la fachada frontal. Vi cómo esa gente os golpeaba, pero no pude hacer nada. Entonces alguien les dijo que se detuvieran.

–¿Una mujer? –interrumpió Mattius.

Michel frunció el ceño.

–No lo sé. En ese momento agaché la cabeza porque me pareció que miraban hacia arriba, así que no pude ver nada más.

Mattius dirigió una mirada a Lucía, que se encogió de hombros.

–Yo no vi nada –dijo–. Estaba escondida tras la fachada de la iglesia. Solo salí cuando oí que todos se habían marchado.

–Ni siquiera me buscaron –concluyó Michel, desconcertado–. Lucía vio la situación y se fue corriendo a buscar plantas para curaros. –Hizo una pausa y luego prosiguió en voz más baja–: Para Cercamón ya era demasiado tarde.

Mattius cerró los ojos. No le habían dicho nada hasta aquel momento, pero ya se lo había imaginado desde el principio, aunque su corazón no hubiera querido aceptarlo.

–Os llevamos al pueblo sobre los caballos –prosiguió Lucía–. Me temo que los pescadores se quedaron sin su representación, pero son buena gente, y nos han alojado todo este tiempo. Yo he actuado para ellos un par de veces. La familia que vive aquí nos ha cedido su pajar a cambio de la fórmula de mi medicina para cicatrizar las heridas. –Sonrió tristemente–. Es un conocimiento muy útil hoy en día.

–Desde luego –concedió Mattius con gravedad.

Hubo un largo silencio. Entonces, Orazio dijo:

–Hemos enterrado a Cercamón en la punta del cabo, junto a la ermita. Allí donde la Tierra se acaba. El juglar más viajero del gremio no podía descansar en otro lugar.

Mattius no respondió.

● ● ●

Tardó un par de semanas más en estar totalmente a punto. Entre Orazio, Lucía y él hicieron una actuación en la plaza de la aldea para agradecer el cobijo que les habían prestado. Sus recitados fueron buenos, pero ya no había alegría en sus voces.

–De modo que ya tenemos dos ejes –le dijo Mattius a Michel la mañana siguiente; era la primera vez que hablaban de ello desde la noticia de la muerte de Cercamón–. ¿Qué piensas hacer ahora?

–No lo sé –confesó el muchacho, abatido–. Lucía dice que ha visto el Círculo de Piedra en sueños. Un monumento enorme, hecho de grandes piedras verticales que sostienen otras horizontales. Dice que está al otro lado del mar.

–¿Al otro lado del mar? Todos lo saben, Michel. No hay nada. A no ser...

–¿Qué?

–A no ser que se refiera a las grandes islas del norte. Britania.

–¡Britania! –repitió Michel–. ¿Qué sabes de ese sitio?

–Que es más oscuro y salvaje que cualquiera de los lugares que hemos visitado. Dicen que la parte sur está civilizada y cristianizada, pero deben luchar constantemente contra los vikingos que los atacan y que han conquistado gran parte del reino. Britania es el lugar de donde vienen los antepasados de Lucía: los celtas.

Michel no dijo nada durante un rato, meditando la información. Luego murmuró:

–¿Y tú qué opinas? ¿Debemos ir o no?

–¿Siguiendo un sueño? No sé, Michel. ¿Qué dicen tus pergaminos?

–Hablan del Círculo de Piedra donde todos los ejes se hacen uno. En un país brumoso y desconocido, donde solo los valientes se adentran.

Mattius asintió.

Lo hablaron con Lucía y Orazio, y discutieron mucho. Por más que aventuraron teorías, no lograban entender por qué los de la cofradía los habían dejado marchar, y eso quizá los inquietaba más que decidir el siguiente paso a seguir.

–Si vamos a ir a Britania –dijo Mattius–, deberíamos pasar por Crunia. Es el puerto importante más cercano de aquí. No estoy muy seguro de que haya muchos barcos que se dirijan allí, pero no cuesta nada probar, ¿no os parece?

Orazio dudaba.

–Mirad, yo soy solo un pobre juglar, no un héroe. Puedo acompañaros por toda la tierra, pero los barcos no me inspiran confianza, y menos por el mar Atlántico. Como buen genovés, aceptaría una travesía por el Mediterráneo, donde no hay vikingos y las tormentas no son tan duras. Pero ir a Britania con los tiempos que corren me parece una empresa demasiado arriesgada para mí.

Mattius clavó sus ojos en él. Orazio desvió la mirada.

–Está bien, amigo mío. No te pediré que nos acompañes. Tampoco a mí me gustan los barcos. Pero ven con nosotros a Crunia. Solo preguntaremos, nadie dice que vayamos a tomar una decisión ahora mismo.

Orazio estuvo de acuerdo.

Partieron al día siguiente, nada más salir el sol. Pasaron por la ermita para despedirse, por última vez, de Cercamón.

Los dos juglares, el monje y la muchacha rezaron junto a la tumba donde su amigo descansaba, arrullado por el sonido de las olas mecidas por el viento.

LIBRO III:
EL EJE DEL PASADO

Año 999 d.C.
Mundi termino appropinquante

MICHEL SE HALLABA ACODADO en la borda de la enorme embarcación, contemplando la inmensidad del mar. Estaba empezando a gustarle lo de los viajes en barco, aunque aún prefería mil veces la tierra.

Habían pasado muchas cosas desde que abandonaron Finisterre. Entre otras, Orazio los había dejado.

Suspiró recordando los días en Crunia, actuando para un montón de pescadores y marineros que no tenían gran cosa que dar a los juglares a cambio de sus poemas. Allí se habían enterado de que no había ningún barco que partiera hacia Britania desde las costas cantábricas. Todos salían de Normandía, desde donde la distancia era menor y, por tanto, menor era también el riesgo.

Tenían dos opciones: volver a Normandía por tierra o esperar la primavera, cuando se reanudara el tráfico marítimo, para hacerlo por mar.

Decidieron esperar y pasar el invierno en Crunia. A primeros de abril zarparía un barco hacia Cherburgo, en las costas normandas. Desde allí podrían encontrar algún navío que se dirigiera a las islas.

Habían vendido los dos caballos para pagarse el pasaje. Orazio se había quedado en tierra. Volvería a Santiago para presentarse ante Martín; muy pronto, todo el gremio de juglares sabría qué había sido de Cercamón, y cualquier miembro de la cofradía tendría que andarse con ojo en lo sucesivo.

Llegaron a Cherburgo bien avanzada la primavera. Su estancia allí se había prolongado debido a la escasez de barcos que se atrevían a cruzar el Canal de la Mancha, lo cual había permitido a Lucía aprender francés y actuar para un público urbano, más exigente que los pescadores gallegos.

A principios del verano encontraron un navío dispuesto a realizar la travesía, y no se lo pensaron dos veces. Faltaban pocos meses para que finalizara el milenio, y no habían encontrado una pista más sólida que el sueño de Lucía, así que se gastaron lo poco que habían logrado reunir en Cherburgo y lo poco que les quedaba de la venta de los caballos en pagar este segundo viaje.

El tiempo había corrido rápidamente, y el barco no había zarpado hasta bien entrado el último verano antes del año 1000.

Se trataba de una embarcación de enormes velas cuadradas, que avanzaba lenta pero segura, impulsada por dos largas filas de remos que batían el agua incansablemente. Llevaba armas; no era un comercio habitual, pues los barcos mercantes solían transportar cosas ligeras y valiosas, como sedas o especias. Pero los anglosajones estaban en guerra contra los vikingos, que dominaban la parte norte de la isla y les imponían gravosas tasas a cambio de no atacar sus empobrecidos pueblos costeros. No había posibilidad de rebelión sin armas, y aquel avispado comerciante había pensado que haría un buen negocio si se las proporcionaba.

Michel se volvió al sentir una presencia a su lado. Era Lucía.

—Buenos días —saludó el muchacho; la notó diferente y la observó con atención—. Vaya, si hoy te has puesto ropa de mujer. ¿Cómo es eso?

Lucía hizo un gesto mohíno.

—Me vestía de muchacho para no llamar mucho la atención —explicó—, pero tal y como están las cosas, eso sería peor ahora.

—¿Tal y como están las cosas? ¿Qué quieres decir?

Lucía le miró, divertida.

—Michel, vives en las nubes. ¿No sabes que no soy la única mujer de a bordo?

—¿Ah, no? —Michel estaba francamente sorprendido—. ¿Y quién...?

—Es una dama normanda que lleva un mensaje al arzobispo de Winchester.

—¿Una dama normanda? ¿Y cómo es que la mandan a ella de mensajera?

—Parece ser una misión diplomática, o algo por el estilo. Su esposo ha partido para la guerra y la envía a ella, pero no va sola: la acompaña un buen grupo de caballeros armados. Han pagado una sustanciosa suma por el viaje.

Michel reflexionó, y recordó haber visto caballeros a bordo en los últimos días; pero no les había prestado atención.

—Curioso —comentó—. Y te has vestido así para pasar por doncella suya, ¿no?

–Resulta menos chocante. Pero, de todas formas, hay otra razón –respiró profundamente, con una sonrisa–. Le han hablado de mí. Ha dicho que quiere que actúe para ella.

–¿De veras? –Michel ladeó la cabeza, impresionado–. ¿Has aprendido suficiente francés como para defenderte bien?

Ella pareció ofendida.

–Puedo hablar francés. Aprendo rápido, y Mattius pasó mucho tiempo enseñándome. Además, he estado muchas horas ensayando el *Cantar de Carlomagno.*

Michel no la contradijo. La había visto actuar en numerosas ocasiones, y debía reconocer que la muchacha lo hacía cada vez mejor.

–Bueno –suspiró Lucía–, tengo que dejarte. La dama me espera.

Michel se despidió de ella y la vio alejarse. Apenas unos minutos más tarde salió Mattius a cubierta, acompañado de su fiel perro.

–¿Adónde iba Lucía tan deprisa?

Michel se lo explicó.

–Pensé que lo sabías –concluyó–. Se supone que eres su maestro.

–Sí, pero esta muchacha tiene la molesta costumbre de actuar por su cuenta y sin consultar a nadie –gruñó el juglar.

–De todos modos, es extraño que una dama de la nobleza quiera ver actuar a una joven juglaresa, y novata por añadidura –comentó el monje.

Mattius se encogió de hombros.

–Dicen que no es una dama corriente.

–No debe de serlo, desde luego –concedió Michel–, si su marido confía tanto en sus capacidades como para enviarla en misión diplomática.

Hubo un breve silencio.

–Bueno –dijo Mattius entonces–, espero que la chica no me decepcione y haga una buena actuación.

• • •

Alinor de Bayeux estaba sentada sobre un escabel en su pequeño camarote. Junto a ella se hallaba su doncella, y las dos bordaban. La dama alzó la cabeza al oír entrar a Lucía, que ensayó una reverencia.

Alinor sonrió. Era una mujer de unos cuarenta años, pero todavía muy hermosa. Su cabellera de color castaño oscuro estaba cuidadosamente recogida detrás de la cabeza con una redecilla de pedrería, de modo que su rostro quedaba despejado, y sus ojos negro dorados observaban a la muchacha con un brillo de inteligencia.

Lucía tragó saliva y trató de alisarse una arruga de su modesto vestido; era la única ropa que llevaba en su equipaje, aparte de alguna muda para su traje masculino. Clavó la mirada en el suelo, deslumbrada ante el traje de seda de la dama.

–Buenos días, muchacha –dijo Alinor de Bayeux con acento musical–. Te llamas Lucía, ¿no es así?

–Buenos días, señora –balbució ella–. Sí, así es.

–Me han dicho que recitas muy bien.

–Solo soy una aprendiza, señora.

–De todas formas, has hecho un largo camino hasta aquí. ¿De dónde eres?

–De Galicia, señora.

La dama asintió.

–Un rincón muy apartado... y lo sería todavía más si no hubiera peregrinaciones a Santiago –comentó–. ¿Y qué os trae por aquí a ti y al otro juglar?

Lucía enrojeció. No pensaba contarle las teorías de Michel, porque probablemente se burlaría de ella; por otro lado, parecía que Alinor no sabía que el monje viajaba con ellos.

–Yo solo voy donde va mi maestro, señora.

–¿El juglar alto de cabello castaño es tu maestro? Es muy joven para serlo, ¿no?

Lucía captó la indirecta; mucha gente había creído que Mattius y ella eran pareja, y ya estaba acostumbrada. Pero le indignó el hecho de que la dama normanda pusiera en duda la capacidad de su amigo.

–Es el juglar más famoso de toda Francia y parte del extranjero –dijo sin levantar la voz, pero con las mejillas encendidas–. Nadie interpreta como él los poemas épicos. Conoce diez idiomas y...

–Está bien, Lucía, no pretendía ofenderte.

–Y él y yo no tenemos otra relación que la de maestro y alumna –concluyó Lucía; levantó la vista para mirarla a los ojos–. No necesito vender mis favores para ser juglaresa.

Por el rostro de la dama cruzó una expresión de aprobación.

–Si tu maestro es tan bueno como dices, quizá debería actuar para mí, ¿no te parece?

Lucía enrojeció otra vez.

–No... no creo que eso sea posible, señora. Mattius no actúa para nobles. Es... una extraña manía suya.

Alinor de Bayeux frunció el ceño durante un momento, pero luego miró a Lucía y sonrió de nuevo.

–Adelante, pues. ¿Qué tienes para mí?

Lucía hizo una nueva reverencia.

–Señora, en francés conozco varias baladas y un poema épico. Vos podéis elegir lo que más os plazca.

La dama rio, encantada.

–Me gustaría escuchar una o dos baladas –dijo–, y algún fragmento de ese poema épico.

–Vos mandáis, señora.

Lucía inspiró profundamente y alzó su pandereta. Había recitado aquello varias veces, en Cherburgo, para ir puliendo un poco su acento francés, pero era la primera vez que actuaba ante alguien de la nobleza. Cuando comenzó, estaba nerviosa y le temblaba un poco la voz, pero a medida que fue recitando se olvidó de Alinor de Bayeux y su doncella y se concentró en la historia que relataba, hasta el punto de que, al finalizar, casi sintió pena de haber acabado ya.

Tanto la dama como la doncella batieron palmas.

–Magnífico –dijo Alinor–. Me ha gustado mucho.

Lucía volvió a la realidad.

–¿De verdad? –Hizo otra reverencia–. Me honráis, señora.

–Aunque debes hacer algo con ese acento tuyo. Necesitas hablar francés más a menudo.

La dama hizo una seña a su doncella, que entregó unas monedas a Lucía. Esta las aceptó con una salva interminable de agradecimientos.

–Me gustaría que volvieras alguna vez –añadió Alinor.

–Sí, señora. Gracias, señora.

Lucía se retiró cuando la dama le indicó que podía hacerlo. Subió a cubierta, aún temblándole las piernas. Mattius estaba allí.

–Quiere que vuelva –le explicó atropelladamente–. Le ha gustado tanto mi actuación que me ha dado unas monedas.

–Me alegro por ti –dijo el juglar, pero en su mirada había cierta tristeza y desilusión.

• • •

Lucía siguió actuando para Alinor de Bayeux, y Mattius tuvo que enseñarle a toda prisa más cantares y baladas en francés, para que la dama no se aburriera. De esta forma iban, lentamente, incrementando su capital.

Un día, la doncella de Alinor cayó gravemente enferma, y poco después murió. El físico de a bordo no pudo hacer nada por ella.

Entonces, la dama normanda le pidió a Lucía que ocupara su lugar, a pesar de no ser de noble cuna.

Ella aceptó enseguida. Ni en sus sueños más atrevidos había imaginado algo parecido. ¡Una simple aldeana, doncella de una dama de la nobleza!

–Esto no me gusta –le confió Mattius a Michel–. Se va a volver como ellos.

–¿Ellos...? ¡Ah! Te refieres a los nobles.

–Exacto. Fría, ambiciosa y cruel. Pronto mirará a los de su clase por encima del hombro. Y no le importará que haya gente que pasa hambre.

–Exageras, Mattius. ¿No será que le tienes envidia?

El juglar dirigió a Michel una mirada furibunda, pero el muchacho se encogió de hombros. Ya eran viejos amigos, y le había perdido el respeto. El monje tímido y apocado era ahora un joven de dieciséis años, bastante alto y con un asomo de bigote, y había perdido aquella voz infantil que temblaba cuando se ponía nervioso. Sin embargo, seguía estando muy delgado, y conservaba la mirada grave y meditabunda que había impresionado tanto a Mattius al principio.

Pese a los temores del juglar, Lucía sabía muy bien cuál era su lugar. Había nacido aldeana y moriría aldeana, aunque el capricho de una dama normanda le permitiera vislumbrar, siquiera por unos días, el lujo de la nobleza. Tenía muy claro que, en cuanto volviera a Francia, Alinor de Bayeux se olvidaría de ella y tomaría por doncella a la hija de algún conde. Aun en el caso de que quisiera conservarla a su lado, siempre sería una extraña dentro de la corte; lo eran incluso los burgueses que podían competir en riqueza con duques y marqueses. Y ella ni siquiera podía verse avalada por un capital semejante.

De todas formas, no habría cambiado su vida por la de la dama Alinor. Averiguó que la habían casado a los doce años con un hombre de cuarenta. Al enviudar, la habían vuelto a casar. Tras haber dado a luz nada menos que once hijos y haber hecho gala de una inteligencia y un tacto excepcionales, se había ganado el respeto de los caballeros de su esposo, y la confianza de este. Nunca le había faltado nada, pero se le había negado la posibilidad de elegir su destino y, hasta hacía relativamente poco, ella no había sido mucho más que un mueble en la casa del señor de Bayeux.

Por contra, Lucía había pasado hambre, miedo y frío. Su padrastro la golpeaba cuando estaba furioso y tenía que trabajar para ganarse la vida. Pero había podido escapar de todo aquello.

«Yo he tenido mucha suerte», se decía la joven. «Llevo exactamente el tipo de vida que quería llevar».

Seguía ensayando con Mattius, aunque a veces llegaba algo tarde, y el juglar la reprendía por ello. Lucía se defendía alegando que no podía estar en dos sitios a la vez y que, por lo menos, la mujer normanda le pagaba bien; ante esto, el juglar no podía replicar nada.

Una mañana interrumpió sus ensayos un grito desde cubierta. Subieron rápidamente las escaleras y se tropezaron con Michel, que bajaba para avisarlos.

–Estamos ya llegando a la costa –les informó–. Pero viene un barco derecho a nosotros, y el capitán teme que se trate de un *drakkar*, una nave vikinga.

Lucía ahogó un grito y se fue corriendo para acompañar a su señora.

Mattius y Michel salieron al aire libre y se asomaron por la borda. A lo lejos, una nave se acercaba a una velocidad alarmante. Forzaron la vista para intentar distinguirla mejor.

El capitán se volvió hacia ellos desde la proa y les gritó algo. Se quedaron sorprendidos un momento, hasta que comprendieron que la voz no iba dirigida a ellos, sino a Alinor de Bayeux y Lucía que, a sus espaldas, salían por la escotilla. El cabello de la dama normanda estaba suelto, y el viento se lo revolvía. Caminaba con aire de reina, pero su rostro estaba pálido.

–¿Oyes lo que dice el capitán, Lucía? –le preguntó a la muchacha; pero antes de que esta pudiera responder, Mattius se le adelantó:

–Dice, señora, que deberíais volver abajo. Si son realmente vikingos, es mejor que no os encuentren.

La mujer miró a Mattius fijamente. Era la primera vez que se dirigían la palabra. A la vista estaba que no se gustaban.

–Si son realmente vikingos –replicó con frialdad–, de nada servirá que yo me esconda. Me encontrarán de todas formas. Y si van a llevarme prisionera, más valdrá que me arroje al mar.

Mattius no respondió al principio. Aquella dama parecía diferente de otras francesas que había tenido ocasión de tratar. Entonces recordó que era normanda, y los normandos no eran otra cosa que descendientes cristianizados de los vikingos que hacía cien años habían colonizado parte de Francia. Ahora eran vasallos del rey francés, pero por su sangre corría el frío hielo del norte.

–Como gustéis –dijo el juglar finalmente–. Pero yo aconsejaría a Lucía que volviera a vestir ropas de hombre. Una vez logró pasar desapercibida de ese modo.

La dama Alinor le dirigió una mirada gélida. Si se sentía encolerizada, no lo demostró.

–Yo... –balbució Lucía–. Mejor será que vaya a...

Una exclamación del capitán llamó la atención del grupo.

–Estamos fuera de peligro –dijo Michel, aliviado–. Es una nave sajona.

Era un velero que había zarpado desde la costa para averiguar quiénes eran los visitantes. Los escoltaría hasta un pequeño puerto a una hora de camino de la ciudad de Winchester.

La dama Alinor sonrió, tranquilizada. Centró entonces su atención en Michel.

–¿Y a ti, hermano, qué te trae por Britania? –preguntó amablemente.

Michel enrojeció y dijo algo acerca de viajar y conocer lugares nuevos. Entendió enseguida que la mujer no sabía que él y los juglares viajaban juntos.

–Quizá quieras acompañarnos a ver al arzobispo de Winchester –dijo entonces la dama–. Dicen que es un hombre muy sabio, aficionado además a la escritura.

–¡Oh! Pero... no querrá recibirme. Soy solo un humilde monje, y él tendrá mucho trabajo.

–Veo que eres de la Orden de Cluny; me han dicho que el arzobispo simpatiza con los vuestros.

Michel dirigió a Mattius una mirada de reojo, y este asintió casi imperceptiblemente. Winchester era una ciudad; quizá allí pudieran obtener información.

–Me sentiría muy honrado de poder acompañaros, señora –aceptó el monje, muy serio.

Apenas unas horas más tarde, el barco llegó, rodeando una gran isla, a un pequeño puerto en las costas británicas. No parecía muy importante, pero habían hecho todo lo posible por amurallarlo y protegerlo de ataques indeseados. De todas formas, estaba rodeado de altos acantilados donde las olas se estrellaban con un sonido de trueno. Resultaba relativamente fácil de proteger.

Desembarcaron. Mientras Mattius silbaba llamando a su perro, Michel echó un vistazo a su alrededor. Más allá de las pequeñas casas grises se extendían los páramos nebulosos y las crestas rocosas de la Britania, y el muchacho sintió un escalofrío. En alguna parte de aquella tierra fantasmal y legendaria se ocultaba lo único que podía evitar el fin del mundo.

Alinor de Bayeux y su escolta permanecían cerca de la orilla, esperando a que desembarcaran sus caballos. Una larga fila de galeotes encadenados salía de la panza de la nave, dirigidos por el capataz hacia el primer calabozo que encontraran, donde permanecerían hasta que el barco zarpase de nuevo.

En aquel momento llegaba un grupo a caballo para recibirlos. Eran mayoritariamente religiosos, pero había algunos caballeros entre ellos. Al oírlos conversar, Mattius reparó en un detalle que todos habían pasado por alto: ni él ni Michel ni Lucía sabían hablar la lengua local.

El juglar soltó una maldición para sus adentros. El mercader mantenía una interesante conversación con los caballeros, probablemente acerca de las armas que transportaba, y él no podía entender nada.

Los religiosos del grupo de bienvenida se dirigieron a ellos. Alinor les entregó un pergamino que los frailes estudiaron con atención, asintiendo enérgicamente. Hicieron una seña a los normandos para que los siguieran.

Los caballeros que acompañaban a la dama habían desembarcado ya sus caballos, y estos esperaban con la silla y los arneses preparados. Alinor montó sobre su palafrén y Lucía ocupó la montura de la malograda doncella, dirigiendo una mirada de urgencia a Mattius y Michel. Había que hacer algo, y pronto.

Uno de los religiosos reparó entonces en Michel y le preguntó algo. El muchacho parpadeó sorprendido, pero respondió con prontitud. El fraile asintió, satisfecho.

Entonces Mattius cayó en la cuenta de que, aunque no conocieran el idioma sajón, había una lengua que hablaban gran parte de los miembros de la Iglesia cristiana en todas las partes del mundo: el latín. Los monjes sajones tenían fama de instruidos, y Michel se había criado en un monasterio. Pronto, el monje francés y el anglosajón estuvieron enfrascados en una ágil conversación.

Mattius no sabía si alegrarse o desesperarse. Era bueno que al menos tuvieran una vía de información en aquella tierra desconocida. Pero el juglar odiaba no controlar la situación ni saber qué estaba pasando.

El resto de la comitiva aguardaba con impaciencia. Por fin, Michel se volvió hacia su amigo.

–Quieren que los acompañe a Winchester, a ver al arzobispo Aelfric –explicó–. Están un poco incomunicados en la isla, y quieren saber qué está pasando exactamente con la Iglesia de Roma y sus dos papas. ¿Qué vas a hacer tú?

–Iré con vosotros a la ciudad y me quedaré por allí, a ver si aprendo algo del idioma local y averiguo alguna otra cosa.

Michel asintió. Sabía muy bien a qué se refería.

–Yo también preguntaré al arzobispo –dijo.

Por fin se pusieron en marcha. Mattius y Michel los siguieron a pie, pero esto no supuso ningún problema, ya que la población estaba a menos de una hora de camino, y los caballos iban al paso.

Winchester era una ciudad pequeña, de casas bajas y robustas, rodeada por una ancha muralla de piedra. Un poco más allá se encontraban la iglesia y la casa del arzobispo, la más grande del lugar. Dominándolo todo sobre una colina, se alzaba el castillo del señor del territorio, y entre dos lomas había un pequeño monasterio.

Mattius vio una hilera de carretas cargadas con víveres y utensilios avanzando por el camino, y se lo indicó a Michel. Este preguntó al respecto a uno de los monjes. La respuesta cubrió el rostro del muchacho con una nube de tristeza.

–Son tributos –explicó a Mattius–. Tributos que el rey Ethelred ha de pagar a los vikingos para que no ataquen a su gente. Lo llaman el *danegeld*: el dinero para los daneses.

–No sabía que la situación fuera tan mala.

–Los vikingos dominan gran parte de la isla, ya lo sabes, y cada vez avanzan más hacia el sur. Estos tributos se entregan para que las naves enemigas no arrasen estas costas. Según me acaban de decir, hace tiempo que se acabaron el dinero y las joyas, y ahora pagan con provisiones y cualquier cosa que tenga un mínimo de valor. Y mientras, el pueblo pasa hambre.

Mattius no respondió, pero adivinó lo que Michel estaba pensando: «Otra señal más».

El juglar se detuvo en una de las calles de la población.

–Me quedo aquí –le dijo a Michel–. La casa de un arzobispo no es lugar para mí.

–¿Qué vas a hacer tú?

Mattius cabeceó hacia una casa que era, a todas luces, una taberna. Fuera cual fuera el reino o el idioma, todas las tabernas tenían el mismo aspecto en todas partes.

—Ya veo —comentó Michel—. Buena suerte, pues. Si descubro algo, vendré a buscarte.

Se despidieron. La comitiva siguió adelante.

Mattius los vio marchar. Sabía que Michel ya no era un niño, y que estaría bien.

Entró, pues, en la taberna y se sentó en una mesa. El dueño del local le preguntó algo, pero el juglar no lo entendió. Señaló un jarro de cerveza y se señaló a sí mismo. También pidió, por gestos, algo de comer. El tabernero se echó a reír y le hizo otra pregunta; probablemente quería saber si era sordomudo o algo por el estilo. Mattius le dijo en francés que no sabía hablar su idioma, y al hombre se le borró la sonrisa al comprender que aquel era uno de los extranjeros que habían llegado con el barco. Le preguntó por señas si podía pagar. Mattius sacó unas monedas, no muy seguro de que se las aceptaran, pues era dinero francés. Sin embargo, por lo visto allí el metal escaseaba debido a los impuestos, así que el tabernero no le hizo ascos y sirvió al juglar.

Este se quedó un rato allí, observando y escuchando, y después se levantó para marcharse. Quiso despedirse de los parroquianos y repitió la palabra que todos decían al salir, porque le pareció que debía de ser un adiós. Toda la taberna estalló en carcajadas, y Mattius se quedó en la puerta, intrigado, preguntándose qué habría dicho. El tabernero pronunció la palabra de forma ligeramente diferente a como lo había hecho él. Mattius sonrió. «No lo he dicho bien», pensó, y se esforzó por repetir aquella expresión.

A los lugareños pareció gustarles el juego, y pronto se sumaron todos a la tarea de enseñarle palabras básicas en su idioma, porque les parecía muy cómico ver cómo el extranjero pronunciaba mal cosas que para ellos eran tan sencillas.

De esta forma se pasó el rato sin sentir, hasta que Mattius decidió que ya era hora de marcharse, y se despidió de ellos, esta vez correctamente.

Salió de la taberna y deambuló sin rumbo por Winchester. De pronto, sin saber por qué, sintió deseos de volver a ver los acantilados que había divisado desde el barco, a su llegada, y decidió que sería buena idea pasarse por la aldea del puerto, y quizá dormir allí. No podía comenzar a investigar hasta que no aprendiera bien el idioma, de modo que no había prisa.

Llegó al puerto por la tarde, pero evitó encontrarse con gente porque le apetecía estar solo. De esta forma, subió a los acantilados para contemplar el mar junto a su perro.

«No queda ya mucho tiempo», pensó de pronto. Si sus cálculos eran exactos, faltaban poco más de cuatro meses para el fin del milenio. Intentó apartar aquellos pensamientos de su mente. Él no podía hacer nada por el momento; aprender a hablar sajón era una solución lenta, así que ahora todo estaba en manos de Michel y sus conocimientos latinos, que le permitirían comunicarse con los religiosos del lugar.

Se quedó en lo alto de los acantilados hasta que la tarde comenzó a declinar. Entonces se dispuso a bajar hasta la aldea. Pensaba dormir allí aquella noche.

Por el camino oyó un súbito grito que sonó como una voz de alarma. Forzó la vista para distinguir qué sucedía más abajo, y descubrió una frenética actividad en el puerto. Gente corriendo, gritando, acarreando baldes de agua...

Miró un poco más allá y el corazón le dio un vuelco.

La nave normanda estaba envuelta en llamas.

Bajó rápidamente lo que le quedaba de trayecto. No sabía muy bien qué estaba haciendo, pero la vocecilla de la lógica le decía que, si la embarcación se hundía, quedaría atrapado en aquella tierra bastante tiempo. Y Mattius odiaba estar atrapado, de modo que corrió con los aldeanos para tratar de salvar lo que quedara del barco.

La tarde fue larga y difícil. Pronto, una chispa saltó desde la nave y prendió en un pequeño bote cercano. El fuego se propagó rápidamente por todo el puerto, amenazando ya no solo las embarcaciones, sino incluso las viviendas de los pescadores. Todos lucharon a brazo partido contra las llamas, pero el incendio ya estaba avanzado cuando sonó la alarma y, al caer la noche, cuando lograron controlarlo, el pequeño puerto y sus botes eran un montón de oscuras ruinas.

Aquello era un desastre, no solo por la nave destruida, sino también por las familias de pescadores que veían su modo de vida convertido en ceniza. No era precisamente lo que aquella tierra necesitaba, se dijo Mattius amargamente, contemplando los desolados restos bajo la luz del ocaso. Sacudió la cabeza. Habían hecho cuanto habían podido.

Se preguntó de pronto, en medio de su tristeza, qué andaría haciendo Michel.

● ● ●

La comitiva no había permanecido mucho tiempo en casa del arzobispo Aelfric. Les habían dicho que Su Ilustrísima no podía recibirlos en aquel momento porque estaba ocupado con un mensajero del arzobispo de Canterbury y, por lo que Michel averiguó, al arzobispo de Canterbury no se le negaba nada. Sin embargo, les dijeron, sería buena idea que continuaran hasta el castillo, donde se alojarían la dama y su escolta. Cuando estuviesen instalados, el propio arzobispo acudiría allí a entrevistarse con ellos.

Michel decidió acompañarlos, aunque suponía que lo enviarían al monasterio. Aquel tampoco era un mal plan, pero pensó que, si podía, sería interesante estar presente en la conversación entre Alinor y Aelfric.

Lord Oswald, el gobernante de aquellas tierras, se hallaba asistiendo a su señor, el rey Ethelred, en la línea de batalla, y el castillo había quedado a cargo de su esposa, lady Julianna. La dama extranjera (lady Alinor, como la llamaban allí) no había previsto establecer contacto con los señores de Winchester, pero, en vista de que su encuentro con el arzobispo tendría que esperar, y de que lady Julianna no solo iba a acogerla en su casa, sino que además había manifestado interés en conocerla, decidió que sería una grosería negarse a sus deseos.

Pese a la dificultad del idioma, las dos mujeres pronto lograron entenderse gracias a que una de las doncellas de lady Julianna se había criado en Aquitania y sabía algo de francés. La señora de Winchester era una muchacha muy joven y tímida (Lucía pronto sintió simpatía por ella), que no ocultaba su admiración hacia el porte de reina, la belleza y las ricas vestiduras de la dama normanda. Sintió enseguida deseos de comunicarse con ella en su refinado idioma, e hizo todo lo posible por aprender algunas palabras mientras esperaban al arzobispo Aelfric.

Este no tardó en llegar, acompañado por dos sacerdotes. Era un hombre de mediana edad, cabello gris y expresión bondadosa, y sus ojos mostraban cierto brillo de sagacidad e inteligencia. Saludó afectuosamente a lady Julianna y se dirigió a la dama Alinor, para sorpresa de esta, en un francés bastante aceptable, aunque con un fuerte acento sajón:

–He recibido la misiva de vuestro esposo, lady Alinor. –El señor de Bayeux había tenido buen cuidado de hacerla traducir al latín–. Me siento muy honrado ante vuestro mensaje de paz y amistad; nada despreciable, dados los tiempos que corren.

–Así es –asintió ella–. Si mi esposo no estuviese ahora mismo ocupado por su señor, el duque de Normandía, habría venido él en persona. Lamentablemente, son tiempos difíciles y los caballeros deben ocuparse de los asuntos de guerra, dejándonos a las damas y a los hombres de Dios los asuntos de paz.

A Aelfric pareció complacerle la respuesta, pero había un atisbo de suspicacia en su mirada.

–Corren tiempos tan extraños que un caballero normando se molesta en enviar a su esposa a tratar con un viejo religioso sajón –dijo con suavidad.

La dama Alinor hizo un gesto despreocupado.

–Normandos y sajones tenemos un enemigo común –dijo–. Mi esposo opina que tarde o temprano deberíamos unir fuerzas contra los vikingos.

El arzobispo clavó en ella una mirada pensativa. Su esposo era vasallo del duque de Normandía, que a su vez era vasallo del rey de Francia. Si aquella misión era el inicio de una alianza, debería ser este quien se encargara del asunto. Aunque también era cierto que el soberano francés tenía sus propios problemas.

A Aelfric se le ocurrió que, efectivamente, aquella podría ser una buena jugada por parte de los normandos: iniciar un acercamiento entre reinos sin que hubiera caballeros de por medio. Nadie desconfiaría de una dama tan encantadora, y el hecho de que ella se dirigiera al arzobispo quizá no se debiera únicamente a que el señor de Winchester estaba ausente. Aelfric supuso que la misión de lady Alinor consistía en convencerle a él de la conveniencia de una alianza para que intercediera en favor de los normandos no ya ante el señor de Winchester, sino, quizá, ante el mismo rey Ethelred. Semejante acercamiento, si es que se producía, sería muy beneficioso para todos, y el señor de Bayeux podría recibir una generosa recompensa por parte de sus señores.

Habiendo creído adivinar la finalidad de la embajada, el arzobispo sonrió amablemente a lady Alinor. Reparó entonces en Michel.

–Tú debes de ser el joven monje de la Orden de Cluny que venía en el barco. ¿Qué te ha traído por aquí? Era un viaje muy peligroso.

–Lo era, en efecto –asintió Michel; ya tenía preparada la respuesta–. Pero hasta Francia ha llegado la fama de los libros del monasterio de Winchester, una auténtica cuna del saber. He venido hasta aquí con el propósito de solicitar de vos la gracia de unirme por un tiempo a esta santa comunidad para aprender cuanto pueda de la biblioteca del monasterio, y enriquecer mi alma con sus sabias enseñanzas.

El arzobispo no supo muy bien cómo tomarse aquel discurso tan florido. Michel recordó de pronto que no era aquella la historia que le había contado a la dama Alinor, y la miró de reojo para estudiar su reacción. Pero ella no pareció sorprenderse.

—No veo por qué no, hermano —accedió Aelfric—. Has hecho un largo camino para llegar hasta aquí. Si tan interesado estás en los manuscritos, puedes, si lo deseas, consultar mi biblioteca particular.

Michel le dio las gracias. El arzobispo se volvió hacia la dama.

—Lady Alinor, imagino que pensáis quedaros aquí hasta que el barco zarpe de nuevo. Es tarde, y probablemente estéis cansada. Lady Julianna os atenderá a vos y vuestra escolta en todo lo que preciséis.

La señora de Winchester sonrió gentilmente al oírse nombrar, e indicó a su invitada que la siguiera. Alinor de Bayeux se despidió del arzobispo con una inclinación, y ella y su séquito, incluida Lucía, desaparecieron por el pasillo en pos de lady Julianna.

Aelfric se volvió hacia Michel.

—Y tú, hermano, sígueme —le dijo en latín—. Te acompañaré hasta el monasterio. Hablaremos con el abad Patrick.

Por el camino, el arzobispo le preguntó a Michel acerca de lo que sucedía en el continente, y el muchacho respondió lo mejor que supo. A medida que hablaba, la arruga de preocupación de la frente de Aelfric fue haciéndose más profunda.

–De modo que es cierto –murmuró–. La Iglesia tiene ahora un Papa y un antipapa.

Michel estuvo a punto de decirle que aquel era el menos grave de los problemas de Occidente, pero se guardó sus opiniones. Al arzobispo pareció intrigarle su silencio, y comenzó a preguntarle acerca de él mismo y de sus viajes.

Michel relató cómo una horda de húngaros había prendido fuego a su monasterio. Después, omitiendo la etapa de Aquisgrán, de difícil explicación, le habló de su viaje a Santiago, justificándolo como una peregrinación para ir a ver al santo.

Le contó cómo era el mundo que había visto, y el erudito arzobispo pronto comprendió que aquel muchacho delgaducho conocía más cosas que él, que nunca había salido del condado de Wessex.

Michel pasó a hacerle preguntas acerca de su tierra y costumbres, y Aelfric respondió con gusto. Finalmente, como sin darle importancia, el monje comentó:

–Me han hablado de un antiquísimo lugar que vale la pena visitar. Es un monumento llamado el Círculo de Piedra. ¿Vos sabríais por casualidad dónde...?

Se interrumpió al ver que la expresión de Aelfric se había vuelto severa, casi hostil.

–Nunca he oído hablar de tal lugar –respondió con brusquedad.

Michel guardó silencio, sorprendido. Iba a preguntar algo más, pero en aquel momento los interceptó un hombre que llegaba a todo correr. Por lo visto tenía noticias para el arzobispo, porque se detuvo junto a su caballo y le comunicó algo rápidamente.

Michel no entendió lo que decían porque hablaban en sajón. Cuando el emisario terminó de contar sus nuevas, Aelfric parecía consternado, y sus acompañantes se santiguaban. El muchacho, frustrado, trató de averiguar qué estaba pasando. Uno de los sacerdotes le respondió en latín que los barcos del puerto habían estallado en llamas. Nadie sabía cómo ni por qué. Se suponía que se trataba de un ataque vikingo, pero no habían visto naves enemigas cerca.

Michel se quedó consternado. Pensó, con angustia, que ya no podrían regresar hasta que llegara otro barco desde el continente, y aquello era harto improbable: los únicos que navegaban con tranquilidad por las costas atlánticas eran los vikingos.

Una sospecha cruzó su mente: allá donde Mattius y él tenían problemas, solía ser por causa de la Cofradía de los Tres Ojos.

● ● ●

La dama Alinor casi sufrió una crisis nerviosa cuando le comunicaron lo que había pasado con el barco que había de llevarla de vuelta a Normandía unos días más tarde. El caballero que traía la noticia parecía tan contrariado como ella y no dejaba de pedir disculpas, pese a que él no era el responsable del incendio del puerto.

–¿Y qué haremos ahora? –lo interrogó la dama–. ¿Cómo volveremos a casa?

–No lo sé, mi señora. Ninguno de los barcos que se han salvado de las llamas está capacitado para viajar hasta el continente. Los trabajos de reconstrucción durarán varios meses, y para entonces ya no será tiempo de navegar. Habrá que esperar a la primavera próxima.

Lady Julianna se apresuró a aclararle que podía quedarse en su castillo todo el tiempo que fuera necesario, pero Alinor no pareció sentirse muy reconfortada.

Lucía, junto a ella, guardaba silencio, aunque no se perdía palabra. Escuchó con interés las teorías del caballero sobre el posible origen del incendio; parecía que estaba casi descartada la posibilidad de que hubiera sido un accidente.

—Averiguad quién ha sido —ordenó la dama Alinor temblando de ira—. Y cuando lo encontréis, traedlo ante mi presencia de inmediato. No habrá piedad para él.

• • •

Los días pasaron casi sin sentirse. Era necesario seguir adelante, y pronto lo sucedido en el puerto quedó empañado por la realidad cotidiana que volvió a ocuparlo todo. Michel se encerró en el monasterio, donde el abad Patrick le franqueó la entrada a la biblioteca, con la esperanza de descubrir algo sobre aquel Círculo de Piedra que ponía tan nervioso al arzobispo. Pronto, sin embargo, descubrió que la vida allí era bastante más dura que en su monasterio francés, y los trabajos en el huerto le dejaban poco tiempo para dedicarse a la investigación. El alimento escaseaba, y ni siquiera el centro monástico se escapaba de los penosos impuestos que había que pagar a los vikingos.

Por su parte, Lucía siguió sirviendo a lady Alinor y perfeccionando su francés («muchacha, debes eli-

193

minar por completo ese horrible acento que tienes») en el castillo de Winchester. Durante mucho tiempo, este seguiría estando en manos de lady Julianna y los caballeros que su esposo había dejado atrás para protegerla, porque las noticias que llegaban del norte no eran nada alentadoras. El conflicto con los daneses no parecía entrar en vías de solución. Y mientras, las carretas cargadas con lo poco que les quedaba a los habitantes de la población seguían avanzando por el camino, llevándose los sueños y las esperanzas de una gente cada vez más pobre.

Mattius observaba todo esto con gesto grave. Gracias a la ayuda prestada en el incendio del puerto se había ganado la confianza de la gente; además, el juglar sabía ser simpático cuando quería, y sus esfuerzos por hablar una lengua tan extraña para él cayeron en gracia a los parroquianos, que acabaron por aceptarlo entre ellos.

Por otro lado, Mattius tenía dinero. Como su discípula estaba bien pagada, el juglar siempre disponía de algunas monedas, que repartía con generosidad entre la taberna y la posada. A pesar de que él siempre había sido poco más que un paria y allí lo trataban como a un señor, Mattius sentía una amarga tristeza ante aquella situación. La pobre gente de Winchester apenas podía disfrutar su dinero. La mayor parte de lo que él se gastaba en la población iría a parar a manos vikingas.

Mientras deambulaba por allí haciendo todo lo posible por aprender algo de sajón, trató de averiguar alguna cosa sobre el Círculo de Piedra. Aprendió a formular la pregunta a los lugareños, pero estos se encogían de hombros y negaban con la cabeza. Casi todos eran gente humilde, agricultores, pescadores y algún pastor, que nunca se habían alejado de su ciudad natal.

Mattius buscó entonces señales de juglares, o de alguna cosa que se le pareciera. Descubrió que allí se llamaban *scops*, y que su técnica era tal que incluso componían sus propios poemas. Esto dio que pensar al extranjero. «Algún día, yo también compondré un poema épico», se dijo.

De todas formas, en aquellos tiempos no había *scops* en Winchester. Los poetas no se alimentaban del aire y, por supuesto, todos ellos se hallaban en el norte, cerca del *danelaw*, la frontera que separaba la parte anglosajona de la parte vikinga de la isla. Allí era donde el rey Ethelred mantenía las conversaciones con el enemigo y, de paso, controlaba sus movimientos. Allí era donde se hallaban reunidos la mayor parte de los caballeros cristianos de Britania.

Por descontado, era allí donde estaba la noticia... y el trabajo.

Mattius pudo a duras penas reprimir su frustración. No se trataba solo de falta de información: sin *scops* de quienes aprender, no podría recitar nada ni trabajar en Winchester, porque no conocía poemas ni cantares en la lengua local. Tendría que permanecer ocioso, dependiendo de las limosnas de una dama normanda que no era precisamente santo de su devoción. Acarició por un tiempo la idea de acudir al norte, al *danelaw*, pero el peligro que entrañaba aquello le hizo desistir.

Mientras tanto, comenzó a explorar los alrededores por si topaba por casualidad con aquel Círculo de Piedra. Repartía su tiempo entre sus excursiones y las conversaciones de la taberna. Como el dinero no duraría eternamente, comenzó a echar una mano en el campo.

Y así, los días se convirtieron en semanas.

Un día vino a caballo un emisario desde el norte. Cuando Mattius escuchó sus noticias, no supo si considerarlas una señal.

Los mayores perjudicados por el hundimiento del barco normando habían sido el capitán y el comerciante. El primero había exigido una indemnización al segundo, que había decidido que no se marcharía de allí con las manos vacías. Por fortuna, las armas que transportaba la nave ya estaban en tierra cuando se produjo el desastre, así que la expedición todavía podía arreglarse. Por tanto, había enviado a tres de sus hombres a buscar al rey.

El viaje había sido arriesgado, pero por fin llegaba la respuesta: sí, el soberano Ethelred necesitaba armas, y pagaría muy bien por ellas. De modo que, en breve, bajo la apariencia de carretas de tributos, la mercancía que había venido del continente viajaría hasta el mismísimo *danelaw*.

Esto alegró a los pocos que conocieron la noticia: significaba que el rey Ethelred iba a hacer algo, que tenía planeada una ofensiva. Muchos soñaron con ver a los vikingos expulsados de sus tierras para siempre.

Toda la operación se llevó a cabo en secreto, pero Mattius, por supuesto, se enteró, y fue a ver a Michel al monasterio para contárselo. Le salió al paso en el huerto, en un momento en que se hallaba solo, para que nadie los viera juntos. Le contó lo que había averiguado, y le propuso salir por fin de Winchester para acompañar a las carretas al norte.

Al muchacho, sin embargo, no le pareció buena idea. Le contó sus sospechas sobre el incendio del barco, y la reacción del arzobispo ante la mención del Círculo de Piedra. Estaban muy cerca, y no sería prudente alejarse del único lugar donde habían encontrado alguna pista.

–¿Llamas «pista» a la cara que puso el arzobispo? –dijo Mattius, pasmado–. ¿Y si te lo has imaginado? Nadie aquí conoce el Círculo de Piedra. Ya he preguntado a medio Winchester.

–Pues pregunta al otro medio.

Mattius no pareció convencido. Michel posó una mano sobre su brazo, en un ademán tranquilizador.

–Estamos haciendo lo que podemos, y yo sé que es lo correcto. Lo he pensado mucho: Dios quiere dar una oportunidad al mundo, y esa oportunidad somos nosotros cuatro: un monje, un juglar, una muchacha y un perro. Si nos ha escogido a nosotros es porque podemos hacerlo. Hemos llegado tan lejos y conseguido tantas cosas que no me cabe duda de que Él nos asiste. Debemos tener fe, amigo.

Mattius suspiró.

–Me gustaría poder creerte –dijo–. Me gustaría poder tener tu confianza. ¡Demonio, Michel! Primero me convences de que el mundo se va a acabar, y ahora me vienes con que no me preocupe y tenga fe. ¿Qué estás esperando? ¿Una señal?

Michel ladeó la cabeza y se le quedó mirando con una expresión de calma y serenidad que impresionó al juglar. Mattius sostuvo su mirada, preguntándose qué

había cambiado en aquel muchacho desde que lo conoció. No era solo su desarrollo físico, normal en un chico
de su edad. Era algo en su mirada...

–¿Qué te ha pasado? –le preguntó, casi en un susurro.

–Estoy aprendiendo –respondió Michel con suavidad–. Es algo demasiado difícil de explicar. Pero en serio, me gustaría que lo comprendieras, y que supieras
tú también todo lo que yo he aprendido.

Mattius sacudió la cabeza. Aquello era demasiado
impalpable para él. Necesitaba cosas sólidas.

Sin embargo, no contradijo a Michel.

–Está bien, tú mandas. Esperaremos. Mándame una
señal cuando juzgues que es hora de partir.

El monje asintió, y Mattius desapareció de nuevo
entre el follaje.

● ● ●

Michel siguió buscando en los manuscritos, y el
otoño golpeó con fuerza la región, y volvieron las lluvias. El cargamento de armas partió rumbo al norte,
y Mattius lo vio marchar, resignado a esperar en Winchester un tiempo más.

La dama Alinor seguía en el castillo de lady Julianna,
y Lucía con ella. Con la llegada del mal tiempo, era más
que improbable que apareciera un barco del continente,
y mientras esperaban, se trabajaba para la construcción
de otra nave; nada espectacular, simplemente una embarcación lo bastante fuerte como para devolver a los
extranjeros, con ciertas garantías, a su lugar de origen.

Mattius aguardaba la señal de Michel y consumía
su tiempo en la taberna. A finales de noviembre, ya sa-

bía hablar sajón con cierta fluidez. Poemas épicos no había aprendido, aunque sí alguna que otra canción que habría hecho sonrojar a cualquier doncella.

Una tarde tormentosa, un joven pelirrojo entró en la taberna con las ropas raídas y empapadas, pálido pero sonriente.

Todos se volvieron al oírle entrar. Un grito unánime brotó de las gargantas de los parroquianos:

–¡Cedric!

Pronto, la taberna fue un caos de abrazos y frases de bienvenida. Mattius no se movió de su lugar. Se limitó a mirar con curiosidad al recién llegado.

No venían muchos extranjeros a Winchester, ni siquiera comerciantes, pero de todas formas parecía claro que aquel muchacho era de la tierra, y que había regresado tras una larga ausencia. Mattius se preguntó si sería un caballero del señor de Winchester que volvía del norte, y se fijó en sus ropas. El corazón le latió más deprisa cuando descubrió un instrumento de cuerda, semejante a un laúd, que pendía de su costado.

El joven era un juglar, un *scop*.

Mattius aguardó pacientemente a que Cedric terminara de contar sus nuevas. Por lo que pudo oír, el recién llegado acababa de volver del *danelaw*, y les contó que las cosas no habían mejorado, pero que se rumoreaba que el rey tenía algún plan. Nadie mencionó las armas del comerciante normando, y Mattius no pudo adivinar si el joven Cedric lo sabía o no. Después, los vecinos le contaron al *scop* todo lo que había pasado en Winchester durante su ausencia. La mayor parte de novedades tenían que ver con el barco normando y sus pasajeros.

Mattius esperaba que Cedric se fijara pronto en él. Con este propósito, depositó su laúd sobre la mesa, ostentosamente. En efecto, apenas unos momentos más tarde, los ojos del joven se clavaron en él y en su instrumento. Mattius no se movió, mientras informaban al *scop* acerca de él. Instantes después, Cedric se acercó a su mesa.

–Me han dicho que eres del mismo oficio que yo –le dijo sentándose a su lado–. Un juglar francés.

–Que haya venido desde Francia no significa que sea francés –puntualizó Mattius; lo cierto era que no tenía ni la más remota idea de dónde había nacido, ni recordaba cuál era su lengua materna: la imagen de su aldea arrasada era algo que no le gustaba evocar–. Pero sí, soy juglar. Un *scop* del continente.

–Hablas bastante bien nuestra lengua para llevar solo unos meses aquí.

–Aprendo rápido.

–¿Qué te ha traído por esta tierra?

–Venía con intención de conocer mundo y nuevos poemas, pero me encontré con una situación muy... hum... muy poco favorable, y cuando quise volver, resultó que alguien había prendido fuego al barco.

–Ah, sí. Me lo han contado. Me han dicho que no fue un accidente: provocaron el fuego para destruir la nave normanda. Por lo que cuentan, alguien tiene mucho interés en que lady Alinor no se marche de aquí. Aunque tú no pareces sorprendido.

Mattius, efectivamente, no lo estaba. Todo encajaba con la teoría de Michel de que no era precisamente a lady Alinor a quien intentaban retener en Winchester.

Pero había algo que no quedaba claro. Nada de aquello había tenido sentido desde que García los había dejado vivos –aunque no a todos– y con los ejes en la ermita de Finisterre.

–Me alegro mucho de haber encontrado un *scop* al fin –dijo cambiando de tema–. No podía ejercer mi profesión aquí porque no conocía cantares sajones que recitar.

Cedric pareció contento.

–¿Sabes? Hace tiempo que tenía pensado visitar el continente –comentó–. Podemos aprender mucho uno del otro.

Antes de que se dieran cuenta, ambos estaban intercambiando poemas y canciones, para satisfacción de los presentes. Mattius aprendió la rima anglosajona y Cedric asimiló algunas palabras de francés, y unos versos del *Cantar de Roland*. El ambiente era relajado y distendido, y el tiempo se les pasó volando. Cuando a ninguno de los dos le quedó voz, la gente empezó a marcharse, y el juglar y el *scop* se quedaron hablando.

–Por cierto –dijo Mattius al cabo de un rato–, me han hablado de un lugar por aquí que me interesaría visitar. Lo llaman el Círculo de Piedra o algo así.

Cedric palideció.

–Conozco ese sitio. Es el Círculo de los Druidas.

–¿El Círculo de los Druidas? ¿Qué es eso?

–Tiene otro nombre, pero no lo recuerdo. Me llevaron allí siendo muy niño, para expulsar un espíritu maligno que se había apoderado de mi cuerpo. Es un lugar con mucho poder.

–Pero nadie lo conoce por aquí.

–Eso dicen todos, pero no es cierto. Desde niños nos enseñan a no nombrarlo. La Iglesia actúa como si no existiera. Los druidas nos mantienen alejados de allí.

–¿Druidas, has dicho? No conozco esa palabra.

–Un druida es... pues eso, un druida –a Cedric no se le ocurría ninguna otra forma de definirlo–. Hombres que tienen poderes y conocen todos los secretos de las plantas. Ellos cuidan el Círculo para que nadie se acerque.

Era demasiada información para Mattius.

–¿Y dices que de niño te llevaron allí para...?

–Eso es. Seguimos todos los ritos de la Iglesia, pero ni el abad ni el arzobispo pudieron hacer nada por mí, y me tacharon de endemoniado. Mis padres me llevaron a escondidas a los druidas. Aquella noche...

Cedric se estremeció. Mattius esperó a que el joven pudiera seguir hablando.

–No lo recuerdo muy bien. Solo sé que volví curado, y el arzobispo Aethelwood, el predecesor de Aelfric, se atribuyó todo el mérito y dijo que todas las leyendas acerca del círculo no eran más que supersticiones. Pero creo que el actual obispo no opina así.

Mattius asintió. Ello explicaba la reacción de Aelfric ante la pregunta de Michel.

–¿Por qué quieres ir allí? –preguntó Cedric.

Mattius se encogió de hombros.

–Curiosidad, supongo. Aunque lo que me has contado bastaría para desanimar a cualquiera. De todas formas, ¿está muy lejos?

–A varios días de camino de aquí, dirección noroeste. ¿De verdad piensas ir?

–No lo sé –Mattius bostezó ruidosamente–. Ahora, en realidad, lo único que quiero es irme a dormir.

Se despidieron, y quedaron en encontrarse al día siguiente para seguir compartiendo cantares.

Poco antes de caer dormido, Mattius pensó que Michel se iba a llevar una buena sorpresa cuando recibiera la señal en lugar de enviarla.

* * *

El joven monje estaba sacando agua del pozo, tirando de una soga unida a un pesado cubo. El juglar lo observó desde su escondite, tras unos arbustos. Michel jadeaba, y su frente estaba húmeda de sudor. Era un trabajo muy diferente al que hacía en su antiguo monasterio, pero Mattius no tenía ninguna duda de que le sentaría bien; siempre había dicho que Michel pensaba demasiado.

–¡Psst! –lo llamó.

Michel casi soltó el cubo del sobresalto. Lo apoyó en el borde del pozo y miró a su alrededor. No había nadie.

–¿Mattius? –susurró

El juglar, tras asegurarse de que nadie le veía, salió de entre los arbustos.

–Haz el equipaje –dijo–. Nos vamos.

–¿Que nos vamos? ¿Adónde?

–He descubierto más información. Puedo llevarte al Círculo de Piedra, así que no tenemos tiempo que perder. Quiero que estés en la plaza mayor de Winchester mañana al amanecer.

Michel no hizo más preguntas. Confiaba en Mattius, y sabía que si él decía que le guiaría hasta el Círculo, era porque podía hacerlo.

–Está bien –dijo–. Le enviaré un mensaje a Lucía para que se encuentre allí también.

Mattius asintió.

–Hasta mañana, pues. No te retrases.

Michel no tuvo tiempo de contestar. Otro monje se acercaba para ver qué había pasado con el agua. El muchacho se distrajo un momento y, cuando volvió a mirar, el juglar ya se había ido.

Aquel día estaban muy atareados en la abadía porque el arzobispo iba a visitarla para realizar una inspección. Michel solo tenía unos momentos.

Rápidamente, entró en el complejo monástico y se dirigió al *scriptorium*. Escribió una breve nota a Lucía y fue en busca del muchacho que enviaban todos los días desde el castillo para comprar leche a los monjes. Le dio instrucciones de entregar el papel a la doncella de lady Alinor; había aprendido muy poco de la lengua local, pero lo bastante como para hacerse entender.

El chiquillo le escuchó con los ojos muy abiertos y le prometió que cumpliría su misión. Michel le regaló un bollo caliente que había cogido de la cocina.

Enseguida lo llamaron y tuvo que volver a su trabajo, pero espió desde la ventana el avance del recadero a lo largo del camino que llevaba al castillo. Vio de pronto que un jinete con escolta se encontraba con él un poco más lejos y le detenía para preguntarle algo. Michel lo reconoció: era el arzobispo Aelfric.

Se le cayó el alma a los pies. Le pareció que el religioso entretenía demasiado al chico, y se preguntó acerca de qué le estaría interrogando.

Había dado muchas vueltas al asunto, y alguna vez se le había ocurrido la idea de que Aelfric podía pertenecer a la cofradía. Podía ser el responsable de la quema del barco; ello explicaría su sobresalto ante la pregunta acerca del Círculo de Piedra.

Se quedó observando a las pequeñas figuras del camino, hasta que vio que se separaban y el arzobispo continuaba hacia el monasterio mientras el recadero proseguía, cargado con la leche, en dirección al castillo. Michel no podía ver sus movimientos desde allí, así que no tenía modo de saber si Aelfric había interceptado la nota. Rezó para que fueran todo elucubraciones suyas.

El arzobispo se quedó en el monasterio toda la mañana, revisando las cuentas con el abad Patrick y recorriendo las instalaciones. A mediodía ofició una misa, y todos los monjes se reunieron en la iglesia. Michel estaba allí también, más nervioso que de costumbre. Intentó concentrarse y repetir los rezos correctamente.

A la salida, el arzobispo pasó por su lado, como por casualidad.

—Hermano Michel —le dijo suavemente en francés—, un monje no debería perder el tiempo enviando mensajes a las jovencitas.

Michel dio un respingo, se puso pálido y balbuceó algo. Aelfric sonrió con condescendencia y siguió su camino, dejando al desolado monje plantado frente a la puerta de la iglesia.

* * *

Mientras, Mattius disfrutaba de su última tarde en la taberna de Winchester. Cedric y él seguían compartiendo canciones, y el juglar se dijo que era una lástima partir precisamente ahora.

–No hemos celebrado nuestro encuentro como corresponde –declaró Cedric–. Creo que deberías probar la bebida estrella de la casa, ¿verdad, Thomas?

–Y que lo digas –respondió el tabernero–. Te costará un poco más, pero valdrá la pena, te lo digo yo.

–¿La bebida estrella de la casa? –repitió Mattius–. ¿De qué se trata?

Le plantaron sobre la mesa una jarra de espumeante líquido rojizo.

–Es aguamiel –dijo Cedric–. La bebida de los héroes.

Mattius recordó que en la mayor parte de los poemas épicos que relataba Cedric los guerreros que se reunían tras una batalla en el *meadhall*, la casa del señor, celebraban la victoria bebiendo aguamiel.

–Los tiempos heroicos han pasado –dijo Thomas–, pero el aguamiel todavía se destila.

–Bebe, amigo –lo animó Cedric–. Dicen que el aguamiel hace tu cuerpo inmune a todos los males.

Mattius rio, pero probó el aguamiel, y le pareció delicioso y bastante fuerte.

–Sírvele una a Cedric también, Thomas –dijo; se sentía generoso, aunque era consciente de que, si se iban al día siguiente, Lucía tendría que abandonar a la dama Alinor, y el dinero pronto se acabaría–. Invito yo.

Los parroquianos celebraron su ocurrencia ruidosamente. Pronto, el *scop* y el juglar estuvieron recitando a dúo unos versos sobre un antiguo héroe anglosajón que tenía, en opinión de Mattius, un nombre muy curioso: Beowulf.

Todos participaban de la fiesta. En aquellos cuatro meses, Mattius había sabido ganarse la confianza y el aprecio de la gente de Winchester.

Nadie oyó a los hombres del *sheriff*, el encargado de mantener el orden en la ciudad, entrar en la taberna.

–¿Mattius el juglar? –preguntaron.

–Sí, soy yo –respondió Mattius festivamente–. ¿Queréis un trago?

Los hombres seguían ceñudos y, a pesar de que el aguamiel se le había subido bastante a la cabeza, el juglar advirtió que había problemas. Llamó a su perro y se volvió hacia ellos.

–¿Qué pasa?

–Se te acusa de haber prendido fuego al barco normando hace unos meses –replicó el *sheriff*.

–¿Ah, sí? ¡Qué bobada! ¿Y quién me acusa?

–La doncella de lady Alinor.

Mattius estuvo a punto de decirles dónde podía meterse sus mentiras la doncella de lady Alinor, cuando recordó que esa doncella era Lucía.

–¿La doncella...? –repitió–. Debe de ser un error. Conozco a esa muchacha.

–Y ella te conoce a ti –le contestaron–. Por eso sabe que no tienes mucho cariño a lady Alinor y que tenías previsto atentar contra su vida.

–¿¡Qué!? ¡Pero si todo el mundo me vio ese día ayudando a apagar las llamas!

–Exacto. Todo el mundo te vio ese día a la hora justa en el lugar de los hechos.

Mattius se esforzó por recordar. En efecto, había rondado por los acantilados poco antes de que el barco ardiera. Aquello solo podía ser una trampa.

—Quiero hablar con esa joven que me acusa —exigió.

—No será posible, amigo. Mientras no se aclare este asunto, tú no tienes derechos en Winchester.

Los hombres avanzaron hacia él para capturarlo, pero Sirius se plantó frente a ellos, gruñendo para proteger a su amo. El *sheriff* y los suyos retrocedieron.

—Quiero saber más cosas —exigió Mattius—. ¿Van a juzgarme?

—Es una orden del arzobispo —dijo el *sheriff* encogiéndose de hombros—. Por lo visto, la muchacha acudió a él, atormentada por los remordimientos, y le confesó lo que habías hecho. Puede que te juzgue él, o puede que te juzgue lady Alinor, o lord Oswald cuando regrese. O puede que no tengas juicio y se te cuelgue directamente —sonrió enseñando todos los dientes—. Así es como tratamos aquí a los extranjeros que vienen a prender fuego a nuestras casas.

Mattius miró a su alrededor y descubrió que los que antes eran sus amigos ahora le miraban con recelo y desconfianza. Incluso Cedric.

—Por lo visto, solo tratáis así a los que vienen del continente —replicó, furioso y decepcionado—, porque a los vikingos, en lugar de colgarlos, les entregáis todo vuestro dinero. Sin embargo, contra un pobre juglar sí que podéis, ¿verdad?

Comprendió que había ido demasiado lejos cuando uno de los hombres del *sheriff* lo lanzó hacia atrás de un puñetazo. Ni siquiera su perro pudo defenderle;

tras una breve refriega, Sirius quedó fuera de combate y Mattius fue capturado, atado y arrastrado hasta los calabozos de la ciudad.

● ● ●

Michel salió del monasterio poco después de la hora prima, para estar en Winchester a la salida del sol. Sabía que si el abad lo descubría, el castigo sería ejemplar, pero el muchacho no tenía intención de volver.

Llegó a la plaza a la hora justa y esperó, temblando de frío, la llegada de Mattius y Lucía.

Sin embargo, el juglar no apareció, y tampoco lo hizo la muchacha.

Cuando el sol estaba ya muy alto y la ciudad bullía de actividad, Michel decidió que debía hacer algo. Se dirigió a un joven que pasaba por la plaza y le preguntó, con lo poco que sabía de sajón, si había visto a Mattius el juglar.

El muchacho pareció asustado, movió la cabeza y dijo algo que Michel no llegó a entender del todo; sin embargo, sí captó el mensaje en su esencia: Mattius estaba prisionero. El joven sajón pronunció el nombre del arzobispo Aelfric, y Michel se sobresaltó. Le dio las gracias y se alejó de él para reflexionar.

Mattius estaba prisionero y Aelfric andaba de por medio. Todo concordaba: el arzobispo había interceptado el mensaje enviado a Lucía y ahora les impedía marcharse reteniendo a Mattius. Pero ¿por qué? ¿Para arrebatarles los ejes? ¿Y por qué esperar tanto? Quizá estaba aguardando el momento apropiado para atacarle y robarle las joyas. O quizá solo quería mantenerlos a raya para asegurarse de que no invocaban al Espíritu del Tiempo antes del fin del milenio.

Había que hacer algo. Tenía que averiguar dónde estaba encerrado Mattius y de qué se le acusaba.

La mente de Michel bullía de preguntas, y decidió arriesgarse: iría a ver al arzobispo.

Previamente enterró el saquillo con los ejes a las afueras de la población, bajo un árbol, con la intención de volver a buscarlo cuando saliera del palacio del arzobispo. Desde luego, no pensaba entrar allí con los amuletos encima.

No las tenía todas consigo, pero debía averiguar qué había sido de Mattius y por qué Lucía no había acudido a la cita. Corrió hacia la casa arzobispal y pidió una audiencia urgente.

Cuando estuvo frente a Aelfric, empezó a dudar que fuera buena idea.

–¿Qué se te ofrece, hermano? –preguntó el arzobispo amablemente.

–El juglar –dijo Michel con firmeza–. Exijo saber dónde está.

Aelfric pareció sorprendido.

–Lo han encarcelado por el incendio del puerto –dijo–. Según me dijeron, había pruebas suficientes para hacerlo. Pasó toda la noche en el calabozo del *sheriff*, pero ahora lo han trasladado al castillo. Iban a ejecutarlo al amanecer, pero lady Alinor pidió para él un juicio, y probablemente habrá que esperar a que vuelva lord Oswald para que este se lleve a cabo.

–Lo encerraron por orden vuestra –acusó Michel.

–Me pidieron que lo hiciera.

–¡Y vos... accedisteis! ¡Sois uno de ellos!

–¿Uno de ellos? Muchacho, ¿qué dices?

Michel no escuchaba. Se sentía hervir de ira.

–No lograréis detenernos –dijo, sombrío–. Dios os castigará por esto.

Antes de que el arzobispo pudiera replicar, Michel dio media vuelta y salió de la habitación, sin ceremonias.

Nadie lo detuvo. Nadie le impidió abandonar el palacio arzobispal. Una vez fuera, tras asegurarse de que nadie le seguía, fue a recuperar los ejes, y los encontró exactamente en el mismo lugar donde los había dejado. Exhaló un suspiro de alivio.

No le quedaba mucho tiempo. Tenía que contactar con Lucía, como fuera.

• • •

Encerrado en una mazmorra no muy limpia, soportando la ocasional visita de alguna rata, Mattius pensaba.

Aquello era una trampa, eso estaba claro. «Nos dejan escapar en Finisterre con los ejes», se dijo. «Luego nos siguen hasta aquí, nos impiden marcharnos y me cargan a mí las culpas del incendio. ¿Por qué? ¿Qué pretenden?».

Se preguntó qué estaría pasando con Lucía y Michel, y pidió a gritos ver a la muchacha. El carcelero se rio en sus barbas.

Por la noche, un caballero normando acudió a su celda.

–Volvemos a vernos, juglar –le dijo en castellano.

Mattius lo reconoció entonces, y lo primero que pensó fue que se trataba de una pesadilla.

—Caramba, García —comentó, con la esperanza de despertarse cuanto antes—. Eres insistente. ¿Qué has hecho con tu barba? ¿Y qué haces disfrazado de normando?

El castellano torció el gesto.

—Seguirte, por supuesto. Me han dicho que sabes dónde está el tercer eje. Me hace mucha falta esa información.

Y de pronto, aquello estuvo claro para Mattius. Los habían dejado libres en Finisterre para que los guiaran al Eje del Pasado, porque desconocían su ubicación. ¿Pero cómo sabía García que habían descubierto más datos sobre él? Solo lo sabían Cedric, Michel... y Lucía, claro. El monje había dicho que iba a enviarle un mensaje.

Una sospecha empezó a tomar cuerpo en la mente del juglar. ¿Estaba Lucía aliada con la cofradía? ¿Lo había estado desde el principio?

No tuvo tiempo de seguir pensando. Tres hombres más entraron en la prisión y se lanzaron sobre él. Mattius se debatió, pero no logró impedir que lo inmovilizaran. García se acercó a él. Llevaba un pequeño frasquito en la mano.

—Bebe esto, charlatán —le dijo con guasa—. Te sentará bien.

Mattius pensó que era un veneno, y le extrañó porque aquel no era el estilo del maestre. De todas formas, se resistió todo lo que pudo, hasta que uno de los hombres le dio un puñetazo en la mandíbula y lo dejó aturdido. Antes de que pudiera reaccionar, ya había tragado el contenido de la redoma.

Sintió que las piernas le flaqueaban y supuso que iba a morir de una forma lenta y dolorosa. «Mala suerte, Michel», se dijo. «Tendrás que seguir tú solo».

García se inclinó sobre él.

–¿Dónde está el tercer eje? –preguntó.

–¿Vas a proporcionarme el antídoto si te lo digo? –replicó Mattius a su vez.

García se quedó perplejo. Evidentemente, no era esa la respuesta que esperaba.

–¿Dónde está el tercer eje? –repitió.

–¿De verdad crees que te lo voy a contar solo porque me lo preguntes?

El castellano se quedó mirando un momento el frasco vacío que aún sostenía en la mano.

–No te ha hecho efecto –comentó–. Le diré a Lucía que su pócima no ha dado resultado. No tendré más remedio que utilizar mis métodos.

¿Que la pócima no había dado resultado? Mattius comprendió de pronto: no era un veneno, sino una especie de suero de la verdad que, por alguna razón, no le había afectado.

Se preguntó por qué, y recordó de pronto las palabras de Cedric: «Dicen que el aguamiel hace a tu cuerpo inmune a todos los males». Sonrió para sí. Era una explicación un poco cogida por los pelos, pero no tenía otra, por el momento. Ahora, sin embargo, había algo más urgente que averiguar.

–¿Lucía, has dicho? No te creo. Eres un mentiroso.

García rio.

–Claro, amigo. Deberías haberlo adivinado antes. Aceptaste en tu grupo a uno de los nuestros. Estoy seguro de que ahora, si tuvieras otra oportunidad, serías mucho más prudente.

Mattius iba a replicar, pero el castellano le asestó un rodillazo en el estómago.

–Me vas a decir dónde está el Eje del Pasado, amigo –le advirtió–, o no saldrás vivo de este lugar.

–Si yo muero, nunca lo sabrás –respondió Mattius, pero el maestre le golpeó de nuevo.

La tortura se prolongó a lo largo de toda la noche. Mattius podría haberle dicho lo que sabía y haberse olvidado del asunto, pero su instinto de supervivencia le decía que, en cuanto dejara de ser útil, García lo mataría. Sufrió un auténtico calvario aquella noche, pero cuando García y sus compañeros se marcharon, dejándolo medio muerto, el mayor dolor que sentía era el que le corroía por dentro.

En los días siguientes pensó mucho en la posibilidad de que el castellano estuviera diciendo la verdad. Habían conocido a Lucía casi al mismo tiempo que al propio García. Recordó que ella había dicho que el maestre había acudido a la posada «para encontrarse con alguien». Ese alguien podía ser la misma Lucía.

La joven había insistido mucho en acompañarlos. Los había librado de las meigas y quizá había sido ella quien había ordenado a García que los dejaran en paz en Finisterre..., para luego seguirlos hasta el Círculo de Piedra. Ella les había proporcionado la pista, pero ignoraba dónde podía encontrarse aquel círculo.

Ahora, tras cuatro meses en Winchester, Michel le había enviado un mensaje diciéndole que sabían dónde estaba el tercer eje. Lucía había decidido que era hora de entrar en acción, y lo había hecho diciendo que Mattius había incendiado el barco. Probablemente el culpable de ello había sido el propio maestre de la cofradía, que había viajado con ellos confundido entre la escolta de lady Alinor. Ahora, la muchacha había intentado sacarle la información mediante una de sus pócimas, pero no había dado resultado. Tampoco lo había hecho el interrogatorio de García.

Pero Lucía sabía, tan bien como el propio Mattius, que Michel no se marcharía sin él. Pronto acudiría al castillo, y entonces el joven monje estaría perdido y la misión habría fracasado.

Mattius maldijo una y mil veces su propia debilidad. Su intuición le había dicho desde el principio que no se fiase de la chica... Y su intuición nunca le había fallado. ¿Por qué se había dejado engañar? ¿Por unos chispeantes ojos verdes?

Rechinó los dientes: a pesar de todo, no pensaba rendirse. Tenía que encontrar algún modo de comunicarse con Michel y decirle que no confiara en Lucía.

• • •

El monje había vuelto al monasterio y recibido su consiguiente castigo: tres días sin hablar con nadie. No le costó mucho cumplirlo; aunque no pronunciara palabra, su mente bullía de planes.

Cuando le levantaron la penalización, Michel se las arregló para volver a hablar con el recadero del castillo, y le preguntó si había llevado el mensaje a su destino. El chico le respondió que sí, pero Michel sabía que podía estar mintiéndole para librarse de una reprimenda.

Buscó entonces la forma de ponerse en contacto con Lucía. No se fiaría de los mensajes escritos: debía hablar con ella en persona.

Se enteró de que pronto habría mercado en Winchester, y decidió acudir. A Lucía le encantaban los días de mercado, y era posible que acompañara a las criadas del castillo en sus compras. Michel no sabía si la juglaresa estaba enterada de la captura de Mattius, pero, en cualquier caso, debía encontrase con ella para cambiar impresiones.

Había trazado un plan, pero necesitaba la colaboración de la muchacha para ponerlo en práctica.

El día del mercado, Michel consiguió que le dieran permiso para acompañar al grupo de monjes que bajaría a Winchester a vender el excedente del monasterio. Sabía que era arriesgado, pero la lógica le decía que si el arzobispo no había hecho nada por capturarle hasta el momento, no tenía por qué intentarlo ahora, así que bajó con todos hasta la ciudad y recorrió sus calles llenas de gente buscando con la mirada una chica menuda, de cabello castaño quizá demasiado corto.

No era un gran mercado, y funcionaba sobre todo por el sistema de trueque. Los agricultores aprovechaban para cambiar sus escasos excedentes de verduras por algunos tristes pescados que sobraban a los pescadores, y los granjeros buscaban a alguien lo suficientemente rico como para comprar una oveja, un cerdo o una ternera.

Michel se sentó en el puesto que habían improvisado los monjes para vender los productos del monasterio, esperando que el hermano encargado se distrajese un momento para poder alejarse en busca de Lucía.

No fue necesario. La vio de pronto un poco más lejos; como había supuesto, la juglaresa se hallaba en el mercado acompañando a las criadas de lady Julianna. Los ojos de ambos se encontraron, y Lucía pareció contenta de verle. Se acercó fingiendo examinar la mercancía de los monjes. Si estos veían a Michel hablando más de la cuenta con una chica, el muchacho podía verse reprendido por el admonitor a su regreso.

–Tengo que hablar contigo con urgencia –le susurró Michel rápidamente–. Mattius tiene problemas.

Ella lo miró, sorprendida y alarmada. A Michel le extrañó que no lo supiera.

De todas formas, Lucía estuvo a la altura de las circunstancias. Con una sonrisa, se despidió de los monjes y prosiguió su camino, pero, en cuanto pudo, desapareció por un callejón poco transitado. Michel sabía que lo estaba esperando allí.

Esta vez sí se escapó. Burló la vigilancia de los monjes y poco después entró en el callejón. Lucía lo aguardaba con la espalda apoyada en una pared.

–Cuéntame –le dijo sin rodeos–. ¿Qué es eso de que Mattius tiene problemas?

–Es raro que no te hayas enterado –dijo Michel–. Lo han acusado de prender fuego al barco normando.

–¿Cómo? ¡Pero no pueden! ¿Quién ha dicho...?

–Lo apresaron por orden del arzobispo Aelfric. Fui a hablar con él, y me dijo que actuaba a petición de otro. Estoy seguro de que me engañaba: él pertenece a la cofradía.

–¿A la cofradía, dices? ¿Y por qué...?

–¿Recibiste mi mensaje? –interrumpió Michel.

–No –respondió Lucía, cada vez más preocupada–. ¿Qué mensaje?

–Entonces eso significa que el arzobispo lo interceptó –murmuró Michel–. Te envié un mensaje con el muchacho que lleva la leche al castillo. A medio camino se encontró con el arzobispo, y ahora resulta que no te llegó la información. Ya no tengo dudas.

–¿Por qué querías mandarme un mensaje?

–Para decirte que nos marchábamos al día siguiente. Pero esa misma noche, Mattius fue hecho prisionero. La cofradía está detrás de esto.

Lucía abrió mucho los ojos.

–Espera –dijo–. ¿Qué es eso de que nos marchábamos? ¿Es que acaso habéis encontrado alguna pista?

Michel asintió.

–Queda poco tiempo, y debemos apresurarnos. Hay que rescatar a Mattius.

Lucía estuvo de acuerdo.

–¿Tienes algún plan?

–Sí. Esta noche entraré en el castillo diciendo que traigo un mensaje del abad. Nadie desconfiaría de mí. Reúnete conmigo en el patio. Intentaremos liberar a Mattius.

–¿Cómo? ¿Con qué armas?

–El perro de Mattius vino el otro día a buscarme al monasterio. Tenía una fea herida en la cabeza; seguro que intentó defender a su amo cuando se lo llevaron. Está un poco más flaco que de costumbre, pero sus colmillos siguen igual de afilados. Me lo llevaré al castillo.

Hubo un breve silencio.

–Nos veremos esta noche, entonces –dijo Lucía–. En el patio del castillo, cuando la luna esté sobre las montañas. ¿Seguro que podrás entrar?

–Sin problemas.

–Hasta la noche, pues.

–Hasta la noche.

Se despidieron y volvieron a salir, con un breve intervalo de tiempo, a la calle principal.

* * *

Michel no las tenía todas consigo cuando llegó a la puerta del castillo. Los guardias eran soldados de lady Julianna, y él apenas hablaba su lengua.

Lo miraron con curiosidad. El muchacho alzó un pergamino, sereno y firme pero temblando por dentro. Los caballeros lo examinaron fingiendo interés. Probablemente no sabían leer; Michel ya contaba con eso.

Le preguntaron algo, pero Michel movió la cabeza y dijo que no entendía. Uno de los soldados lo reconoció como el monje francés que había venido en el barco el verano anterior, y fue a buscar a algún caballero normando que tratara con él.

Michel esperó fingiendo impaciencia. Uno de los escoltas de lady Alinor se presentó, ceñudo y bostezando.

–¿Qué quieres, hermano? –gruñó.

–Traigo un mensaje del abad Patrick para lady Alinor –declaró Michel, muy digno–. Debo entregárselo en persona.

–¿A estas horas?

–Es urgente, según me han dicho. A mí tampoco me gusta salir de noche; falta poco para maitines, y debo

descansar. Pero ¿qué queríais que hiciera? No iba a desobedecer al abad...

–Trae acá –cortó el caballero, y le arrebató el pergamino con brusquedad; Michel temió por un momento que supiera leer y todo se fuera al traste–. Yo se lo daré.

Aquello no estaba previsto. El cerebro de Michel trabajaba a toda velocidad en busca de una excusa.

–¿Sabe lady Alinor leer en latín? –preguntó entonces, súbitamente inspirado.

El caballero le lanzó una mirada ceñuda.

–No. ¿Por qué?

–Porque el abad Patrick no sabe francés. Me envía a mí para que le lea y le traduzca el mensaje.

El normando le dirigió una mirada extraña. Michel pensó, con inquietud, que parecía como si se estuviera riendo de él por dentro.

–Está bien, pasa. El perro, no –añadió señalando al animal, que trotaba junto al monje.

–Es otro de los asuntos que el abad Patrick desea tratar con la dama Alinor –replicó Michel–. Por lo visto, el chucho pertenece al juglar prisionero en este castillo. Ronda por el monasterio y aúlla por las noches. El abad ha decidido enviarlo de vuelta a su dueño.

–Hay una solución más rápida –dijo el caballero, y se llevó la mano a la espada.

Michel lo detuvo, alarmado.

–El abad quería que lady Alinor supiese de la presencia del perro. El juglar le tiene mucho aprecio. Si la dama pretende interrogarle, quizá este animal le sea útil.

–Es un poco retorcido tu abad –comentó el caballero, pero los dejó pasar.

Una vez dentro, mientras cruzaban el patio del castillo, Michel buscó a Lucía con la mirada en cada sombra y cada rincón, a la luz vacilante de las antorchas. El caballero lo llevaba directo a los aposentos de la dama Alinor, pero Michel no tenía intención de llegar tan lejos. Debía encontrar el modo de librarse de él.

Contaba con el perro. Imaginaba que, en cuanto este husmeara a Lucía, correría a saludarla. Michel pensaba ir detrás de él, con la excusa de capturarlo.

Pero Sirius seguía tranquilo, aunque alerta. Michel no sabía qué hacer. Todo indicaba que Lucía no se encontraba allí.

Su guía se detuvo frente a la entrada de la torre del homenaje y Michel, despistado, casi tropezó con él. Otros dos caballeros normandos flanqueaban el arco. Su intuición le dijo que algo no marchaba bien.

En cuestión de segundos se vio rodeado.

–Hermano Michel, nuestra señora te acusa de ser cómplice del juglar y planear su rescate –dijo uno de los caballeros.

El muchacho intentó zafarse, sin resultado. El perro ladraba y gruñía. Se lanzó contra la espinilla del caballero más cercano; este sacó la espada y la descargó contra el lomo del animal, que saltó ágilmente a un lado, esquivándola.

No había nada que hacer. Por mucho que se resistiera, ni aun con la ayuda de Sirius lograría escapar. Lo sujetaron por la espalda, inmovilizándolo, y una voz conocida le susurró al oído, en castellano:

–Estás perdido, monje. Tu patético intento de evitar el fin del mundo no ha dado resultado.

Michel saltó como si le hubieran pinchado.

–¡Ve a buscar a Mattius! –le gritó a Sirius–. ¡Corre! ¡Busca a Mattius!

El perro alzó las orejas al oír el nombre de su amo, y pareció entender, porque echó a correr y se perdió en la oscuridad.

Mientras los normandos lo conducían escaleras arriba hacia lo alto de la torre del homenaje, Michel se preguntó qué había salido mal.

• • •

Aquella noche, poco antes de la hora en que debía entrevistarse con Michel, Lucía estaba aún cantando para lady Alinor. Se equivocó varias veces en una balada que conocía al dedillo por ser la preferida de su señora, y esta lo notó.

–¿Qué te sucede, querida? Estás distante.

Lucía hizo como que reprimía un bostezo.

–Disculpad, señora, pero hoy no me encuentro muy bien. El día en el mercado ha sido agotador. Me gustaría retirarme, si me dais vuestro permiso.

–Ah, sí. –La dama le dirigió una mirada pensativa–. Antes, supongo que no tendrás inconveniente en tomar una copa conmigo, ¿verdad?

–No, claro que no –respondió Lucía, algo inquieta–. ¿Aviso a lady Julianna?

–Será mejor que no la molestes. Sabes que suele acostarse temprano.

Alinor escanció personalmente el vino en dos copas. Lucía se removió en su asiento. La hora se acercaba.

La dama normanda alzó su copa.

–Por nosotras –dijo–. Y por Normandía y su próxima conquista de las islas Británicas.

–¿Cómo? –Lucía se quedó con la copa en el aire.

Alinor quitó importancia al asunto con un gesto despreocupado.

–¿Crees que mi esposo me pondría en peligro solo para tratar con un arzobispo? No, querida. He venido a investigar. Este reino está tan preocupado por los vikingos que el duque de Normandía no tendrá ningún problema en hacerlo suyo. Esas armas que iban camino del *danelaw* no liberarán la isla. Solo lograrán enfurecer a los daneses. Y cuando esta tierra esté sumida en el caos... Normandía atacará. Pero bebe, querida amiga. No te quedes pasmada.

Lucía tomó un par de sorbos del vino. En realidad no tenía sed.

–Pero... hemos estado en Normandía y no había indicios de que se preparara una invasión –objetó.

–Oh, no sucederá enseguida. Quizá pasen bastantes años, tal vez un par de generaciones; probablemente haya que recurrir a la política matrimonial, pero ocurrirá tarde o temprano. Evidentemente, la idea fue mía; al duque de Normandía le pareció excelente, y me envió para tomar contacto con el terreno, prometiéndome una gran recompensa a mi regreso. Yo no soy más que la avanzadilla, pero detrás de mí vendrá un gran ejército.

Lucía sintió náuseas. Tomó otro sorbo de vino, notó que se mareaba y dejó la copa sobre la mesita.

Lady Alinor hizo una seña a una de las criadas para que se llevara las copas. No había hecho nada por aprender sajón, así que se comunicaba con ellas por gestos.

La mujer hizo lo que se le ordenaba, pero temblaba un poco, y salió de la sala rápidamente. Alinor no lo notó, pero Lucía sí.

–¿Por qué... me contáis esto a mí? –articuló con dificultad.

–Digamos que se trata de un... intercambio de información. Yo he sido sincera contigo y espero que tú lo seas conmigo.

–Claro –murmuró Lucía preguntándose por qué se sentía tan mal.

–Me alegro de que nos entendamos. Llevo mucho tiempo preguntándome cuál es tu verdadero propósito y por qué estás *tú* aquí en Winchester.

Lucía se sobresaltó. Trató de decir: «Sigo a mi maestro, Mattius el juglar», pero, en lugar de eso, susurró con voz ronca:

–Vamos en busca de un amuleto, una joya llamada el Eje del Pasado. El mundo se acabará en el año mil, y nosotros debemos impedirlo.

Lucía se quedó horrorizada. No había tenido intención de decir aquello. Miró a lady Alinor, pero ella no pareció sorprendida. Solo satisfecha.

–Muy bien, así me gusta. Sé que tú y ese monje amigo tuyo vais a marcharos esta noche, y que pensáis rescatar al juglar, ¿no es así?

–Sí –respondió Lucía como en un sueño–. ¿Vos interceptasteis el mensaje de Michel?

–Sí, fui yo. De todas formas, el monje no cayó en la cuenta de algo tan obvio como que tú no sabes leer, ¿me equivoco?

Lucía sonrió amargamente. Era cierto. Mattius aún no le había enseñado a leer, pero, por lo visto, era algo que Michel había pasado por alto.

–También envié a alguien tras de ti cuando fuiste al mercado, y espió para mí toda tu entrevista con el monje –prosiguió Alinor–. Conozco tus planes, así que no creas que vas a poder engañarme. Además, tengo prisionero a tu juglar.

La dama se inclinó sobre ella y la miró fijamente a los ojos.

–Ese pobre diablo ha estado todo este tiempo vagabundeando por la ciudad y cantando canciones obscenas en la taberna. Yo sé que el cerebro de vuestro grupo es el monje, pero está en el monasterio y no tengo poder sobre él. A pesar de que hice lo posible para que no te enteraras, te ha contado que el juglar está prisionero. ¿Te ha dicho también cómo he conseguido que lo acusaran?

–No, yo...

–Fui a ver al arzobispo y le dije que tú habías confesado que él había prendido fuego al barco. Le convencí para que hablara con el *sheriff*. Si iban mis caballeros a capturarle resultaría muy sospechoso, así que me las arreglé para dejar el asunto en manos de la justicia local, aunque luego conseguí que trajeran al juglar al castillo para interrogarle personalmente –esbozó una sonrisa–. He hecho todo lo posible, pero según dicen mi brebaje no le ha hecho efecto y, a pesar de haberle aplicado otros métodos más persuasivos, tampoco ha soltado prenda, ni siquiera tras hacerle creer que le torturaban por orden tuya. Lo único que se me ocurre es que él no sabe nada, y que todo está en tus manos y las de ese monje.

«Brebaje», pensó Lucía. «¿Tortura por orden mía?».
Le costaba asimilar toda aquella información.

–Así que ahora me vas a decir lo que quiero saber –concluyó Alinor–. ¿Dónde está el Eje del Pasado?

La pregunta le golpeó con la fuerza de una maza y comprendió de golpe, horrorizada, quién había estado moviendo los hilos desde Finisterre. «Nos dejó marchar porque la cofradía no sabe dónde está el tercer eje. Pero ahora nosotros lo sabemos, nos sacará la información y dejaremos de serle útiles». Quizá era cierto lo de la misión encargada por el duque de Normandía, pero, aunque no lo fuera, la presencia de la dama Alinor en Winchester no era casual. Ahora que tenía un punto de referencia, Lucía entendió quién había hecho prender fuego al barco. Al quedarse sin él, la dama Alinor tenía la excusa perfecta para quedarse en el castillo de lady Julianna todo el tiempo que necesitara.

Ahora había hecho prisionero a Mattius diciendo que ella, Lucía, lo había acusado del incendio de la embarcación. Haciéndole creer que lo había traicionado. «¿Cómo ha conseguido que no me enterara de todo esto?», se preguntó.

Intentó huir, correr a rescatar a Mattius, pero se sentía muy débil y medio adormilada. Su mente trabajaba perezosamente, y Alinor guardaba silencio, dándole tiempo a asimilar todo lo que estaba pasando.

«El vino», pensó Lucía.

–¿Dónde está el tercer amuleto? –repitió la dama con calma.

–En un lugar llamado el Círculo de Piedra –respondió Lucía contra su voluntad–. Un monumento muy antiguo, formado por enormes piedras verticales... que sostienen otras horizontales. Como si fueran arcos o puertas. Dispuestas en forma de círculo.

Alinor frunció el ceño. Le costaba imaginarlo.

–¿Y dónde está ese círculo?

–No lo sabemos. Hemos venido hasta aquí, pero ni siquiera sabemos si es la opción correcta. Cuando hablé con Michel, me dijo que tenía una pista, pero no me dio más detalles.

–Sin embargo, os vais esta noche.

–Sí. Pero no sé adónde.

Lady Alinor respiró profundamente.

–Tú no sabes nada, el juglar no sabe nada. Es curioso. Solo me queda el monje; pero eso no me preocupa, porque sé que os habíais citado esta noche en el castillo, ¿no es cierto?

–Sí –respondió Lucía llorando para sus adentros y deseando poder morderse la lengua–. En el patio, cuando la luna esté sobre las montañas.

–Perfecto. Justo donde lo quería. –La dama exhaló un profundo suspiro de alivio–. Ahora, querida, me temo que tú no vas a ir a ninguna parte.

Todo se oscureció. Lucía sintió que la llevaban a rastras y la arrojaban sobre el lecho. Y después, el ruido de una puerta al cerrarse. Lo último que pensó fue que ojalá pudiera enviarle a Michel un mensaje de advertencia.

· · ·

Michel estaba encerrado en una habitación de la torre del homenaje, echado sobre un jergón de paja. Había examinado hasta el último recoveco de la estancia en busca de una forma de escapar de allí, pero no había tenido éxito.

Ahora, simplemente, pensaba. No sabía una palabra de la conspiración de la dama Alinor, pero era lo bastante perspicaz como para darse cuenta de que habían hecho bien en extremar sus precauciones en Winchester: la cofradía los había seguido hasta allí.

Se preguntó por enésima vez quién podía estar detrás de todo aquello. Antes habría apostado por el arzobispo Aelfric, pero ahora sospechaba prácticamente de todo el mundo. Solo él y Lucía sabían que iba a acudir al castillo aquella noche para rescatar a Mattius.

Suspiró. Estaban perdidos. Faltaba una semana para Navidad. El fin del mundo se acercaba.

Cerró los ojos y comenzó a rezar pidiendo un milagro.

· · ·

Lucía se agitaba en oscuras pesadillas. De pronto sintió una mano sobre su frente y oyó una voz suave que le hablaba en francés con un curioso acento:

—Bebe esto.

La juglaresa abrió la boca y tragó casi sin darse cuenta. Lentamente, la conciencia afloró a su mente. Se hizo la luz y, aún vacilante, abrió los ojos.

Arrodillada junto a su catre, sujetándole la cabeza con una mano y sosteniendo un cuenco de barro en la otra, se hallaba lady Julianna.

Lucía tardó en comprender qué había pasado. De golpe le vino a la mente lo que había descubierto acerca de la dama Alinor de Bayeux, su plan de rescatar a Mattius y su cita con Michel.

–¡La luna... sobre las montañas! –balbuceó–. Es hora de...

La señora de Winchester la tranquilizó con un gesto. Su expresión era amable, pero había tristeza en sus ojos, y una llama de resolución.

–Mattius –murmuró Lucía–. Tengo que sacarlo de la prisión.

Lady Julianna asintió, y Lucía comprendió que tenía una aliada.

–Alinor pretende... –empezó, pero la dama la detuvo.

–Yo sé –dijo en su francés aún vacilante–. Sarah escuchó lo que habló contigo. Normandos quieren invadir mi tierra.

Lucía se quedó sorprendida. Recordó de pronto a la criada que se había llevado los vasos de los aposentos de lady Alinor. Efectivamente era Sarah, la doncella de lady Julianna que sabía francés. Aquello era un increíble golpe de suerte. Ahora la dama sajona sabía que sus huéspedes eran potenciales enemigos. La juglaresa se incorporó, tomó a lady Julianna de las manos y la miró a los ojos.

–Señora, mis amigos y yo hemos venido desde muy lejos a salvaros de un peligro... un gran peligro –se esforzó en emplear palabras sencillas; lady Alinor no se había molestado mucho en enseñarle su lengua nativa a la anfitriona–. Un peligro mayor que los normandos. Es difícil de explicar... Debemos salir de aquí enseguida. Tengo que rescatar a Mattius.

–El monje también prisionero –le contó ella sacudiendo sus rizos pelirrojos–. ¿Inocente?

–Sí. Los hombres de lady Alinor incendiaron el puerto.

Lady Julianna frunció el ceño y se levantó. En su rostro había una expresión de indignación. La muchacha pequeña y frágil se alzaba ahora con el porte de una gran señora. Lady Alinor había movido las piezas demasiado tiempo en su propio castillo. Era hora de poner las cosas en su sitio.

—Sigue a mí —le dijo a Lucía, muy seria.

La juglaresa se levantó tambaleándose un poco. Vio sus ropas de hombre arrugadas en un rincón, y se las indicó a la dama con un gesto ceñudo. Lady Julianna entendió lo que quería decir y asintió con una sonrisa: Lucía dejaría de ser una doncella de la corte, la sirvienta de lady Alinor, para volver a transformarse en una aventurera, descarada y valiente juglaresa.

● ● ●

La puerta de la habitación se abrió con un chirrido. Michel parpadeó ante la luz.

Lady Alinor entró en la estancia, acompañada por dos de sus soldados.

—Espero que sea cómodo —comentó—. No te he hecho encerrar en el calabozo porque pensaba venir a interrogarte personalmente, y no me gustaba la perspectiva de tener que entrar en un lugar tan repugnante.

Michel no dijo nada, pero miró a la dama con seriedad. Llevaba un buen rato barajando aquella posibilidad, y ahora se veía confirmada. Allí la tenía. La pieza clave. La abeja reina.

Se preguntó qué motivos podía tener una mujer de la nobleza para relacionarse con una secta como la Cofradía de los Tres Ojos.

Uno de los soldados parecía impaciente por actuar.

–¿Me dejáis, señora? –preguntó, y Michel advirtió que había hablado en castellano.

–No. –La voz de Alinor sonó autoritaria y, lo que era más sorprendente, habló también en castellano–. Tengo mis propios métodos.

–Con el juglar no funcionó.

–Pero sí con la muchacha. Ni una palabra más, García.

Michel observó más atentamente al falso normando. Se había afeitado la barba y dejado crecer el pelo. Con las ropas de la guardia de lady Alinor, y manteniéndose lejos de la mirada de los tres amigos, había logrado pasar desapercibido todo aquel tiempo.

La dama se inclinó junto a Michel.

–Tú sabes dónde está ese Círculo de Piedra. Pensabas huir esta noche. Lo tenías todo planeado.

–No..., yo... no sé nada.

–¡Mientes! –Alinor le disparó una mirada incendiaria–. La chica sí que no sabe nada. Pero tú puedes conducirme al tercer eje.

De golpe, Michel comprendió qué quería de ellos la cofradía y por qué los había dejado escapar en Finisterre. Pero demasiado tarde.

–No sé dónde está ese círculo. Estoy igual que vos. Todos nos movemos a ciegas en este lugar.

La dama lo observó, pensativa.

–Puedo hacer que te torturen hasta morir –comentó–, pero siempre me ha parecido un método más bien desagradable.

Extrajo una pequeña redoma de los pliegues de su traje de seda de Flandes. Dentro se agitaba un líquido transparente.

–¿Es... un veneno? –titubeó Michel.

–No exactamente. Me ha dado buenos resultados con tu amiga, pero al juglar no le ha hecho efecto, aún no sé por qué. De todas formas, si falla contigo, tendré que utilizar... otro sistema. –Miró a García, que sonrió satisfecho.

Michel se estremeció. Alinor seguía con una curiosa expresión pensativa, como un artista que se dispusiera a culminar su obra.

–Creía que esto sería más sencillo que seguiros y recuperar los tres ejes a la vez –suspiró–, pero veo que todo se está complicando. Quizá me he precipitado un poco, pero ya es tarde para volver atrás.

Hizo una seña a García y este sujetó a Michel por detrás.

–Abre la boca y tómate esto como un niño bueno –dijo Alinor sonriendo.

De pronto hubo un movimiento en la escalera y el otro caballero se volvió empuñando la espada. Lady Alinor también se volvió, molesta por la interrupción.

–¡Lady Julianna! –exclamó al ver a la joven que entraba en el habitáculo de la torre–. ¿Qué hacéis vos aquí? ¡Deberíais estar en la cama!

–No. Maltratas inocentes en mi castillo –declaró la dama, sombría–. Te ordeno: déjale marchar.

Alinor se puso pálida de rabia y se levantó para encararse a aquella mocosa que osaba darle órdenes.

–No sé quién os ha dicho... –Descubrió entonces la presencia de Lucía detrás de lady Julianna–. ¡Ella! Es una juglaresa, una sucia embustera. Yo...

–Ni un movimiento –sonó entonces la voz de García, fría, metálica como el filo de su espada, apoyada ahora en la garganta de Michel–, o el muchacho morirá.

Habló en castellano y lady Julianna no lo entendió, pero el gesto era suficientemente elocuente. La joven, pálida, no perdió, sin embargo, ni un ápice de su aplomo, y gritó algo en sajón.

Los extranjeros descubrieron entonces, demasiado tarde, que tras las dos muchachas había en el pasillo un grupo de caballeros armados. En menos tiempo del que tardó en parpadear, García vio cómo dos de ellos reducían al normando y un tercero osaba poner sus manos sobre Alinor de Bayeux para dejarla exactamente en la misma situación en que estaba Michel.

A pesar de sus bravuconadas, García no había tenido en ningún momento intención de matar a Michel, porque creía que el monje era el único que sabía dónde estaba el Eje del Pasado. Pero el caballero sajón sí podía matar a lady Alinor.

–¿Ahora quién tiene a quién? –dijo Lucía en castellano con una torva sonrisa–. Suelta a Michel o ella morirá.

–Si ella muere, el monje también –replicó García, ceñudo.

–¿Quieres probar?

Lady Alinor emitió un quejido desesperado. La espada acariciaba su blanca y fina piel.

–Haz lo que dice, estúpido.

El castellano obedeció de mala gana. Michel se apresuró a alejarse de él y a reunirse con Lucía.

–Marchad –les dijo lady Julianna–. Yo me ocupo.

Lucía y Michel bajaron a todo correr las escaleras, pero llegaron a oír cómo la puerta de la celda se cerraba atrapando a lady Alinor, a García y al caballero normando.

* * *

Pronto corrió la voz por el castillo de Winchester, y la consigna de los caballeros de lady Julianna fue buscar a todo normando y capturarlo, si era posible vivo, para interrogarlo.

Los normandos, sin embargo, habían oído los gritos desde la torre del homenaje y sabían que su señora tenía problemas. En el patio del castillo se inició una lucha, pero algunos de los caballeros de la dama Alinor subieron para intentar rescatarla.

En medio del caos, Lucía y Michel bajaban escaleras y más escaleras en busca de las mazmorras. No encontraron oposición: todos habían acudido al patio para ayudar a sus respectivos compañeros.

De pronto Lucía, que iba delante, se detuvo en seco. Una puerta enrejada, flanqueada por dos enormes antorchas, señalaba el paso a los calabozos.

–¿Por qué te paras? –jadeó Michel.

–Chissst, calla. Puede que quede alguien ahí dentro.

Avanzaron en silencio, pegados a la pared. Una rata les salió al paso y Lucía dio un respingo. Al percatarse de lo que era, le largó un puntapié al bicho, malhumorada, pero no lo alcanzó.

Pronto llegaron a las celdas. En su mayor parte estaban ocupadas por los remeros del barco hundido, que les suplicaron que les soltaran. Lucía no pensaba hacerlo: los condenados a galeras solían ser delincuentes peligrosos, pues un castigo tan cruel no se aplicaba a la ligera.

–¡Mattius! –llamó Michel.

–¡Yo soy Mattius! –exclamó uno de los galeotes–. ¡Sácame de aquí!

–Otro día, amigo –respondió Lucía caminando con presteza corredor abajo.

Ya no eran necesarias las precauciones. Si quedaba algún guardia en los calabozos, a aquellas alturas ya les habría oído.

–¡Mattius! –repitió Michel.

–¿Michel? –se oyó una voz en un susurro.

El monje casi dio un salto de alegría. Corrió hacia la celda.

–Michel, ¿eres tú? –dijo Mattius; su voz parecía temblar, pero al menos estaba vivo.

–Vamos a sacarte de aquí –prometió el muchacho examinando la cerradura.

–¡Diablo, ya era hora! Aunque no sé... Un momento ¿has dicho «vamos»? ¿Quién viene contigo?

–Pues Lucía, claro. ¿Quién si no...?

–¡Aléjate de ella! ¡Nos ha traicionado! ¡Pertenece a la cofradía!

–¿Qué? –Michel, estupefacto, buscó a la joven con la mirada.

–No es verdad, Mattius –dijo ella; la voz le temblaba de emoción y tristeza–. Te han mentido. No soy yo quien está detrás de todo: es la dama Alinor.

–¡La dama Alinor! –repitió Mattius con un bufido–. ¡Eso es absurdo!

–No, eso es verdad –intervino Michel–. Alinor está aliada con García; lo he visto con mis propios ojos. Ella me interrogó personalmente. Tiene una especie de brebaje que hace decir la verdad a las personas.

–Pero... García dijo...

–¿Y le crees a él antes que a mí? –cortó Lucía, dolida.

Mattius no respondió. Desde el pasillo, Lucía y Michel podían oír que le costaba respirar.

–Mattius, ¿estás herido? –preguntó la juglaresa, y apartó a Michel de la cerradura para intentar abrirla.

Sacudió el candado con frustración.

–Busquemos una barra de hierro o algo que se le parezca. No te preocupes, Mattius –le dijo a su amigo–. Te sacaremos de ahí.

Mattius siguió sin contestar. Probablemente estaba reconstruyendo sus esquemas mentales, intentando entenderlo todo, colocando a Alinor en lugar de Lucía en la figura del enemigo.

–Quizá podamos echar la puerta abajo –comentó Michel.

Lucía iba a replicar cuando un grito resonó desde algún rincón en sombras.

Se volvieron rápidamente, a tiempo de ver a García, que se abalanzaba sobre ellos espada en alto. La juglaresa reprimió un grito y cerró los ojos, pero entonces, como creado de las entrañas de la oscuridad, un enorme perro lobo se abatió sobre él, los ojos relucientes, el pelo erizado, las fauces abiertas enseñando unos colmillos mortíferos.

El maestre cayó derribado al suelo y luchó por desembarazarse del animal.

Lucía se acurrucó contra la puerta. Sintió entonces que Michel le ponía algo en la mano. Lo reconoció al tacto: era el saquillo con los dos ejes.

–¡Márchate! –dijo el monje–. ¡Escapa ahora!

Lucía reaccionó rápidamente y echó a correr. Lo último que oyó fueron los gruñidos del perro, los gritos de García y un aviso de Mattius que resonó por el corredor:

–¡Busca el Círculo de los Druidas! ¡El Círculo de los Druidas, a varios días en dirección noroeste! ¡Dirección noroeste!

Lucía grabó la indicación a fuego en su mente. Le dolía dejar a Mattius y Michel, pero confiaban en ella y no podía defraudarlos.

Salió al aire libre.

El patio del castillo era un caos. Había varios cuerpos en el suelo, y algunos caballeros seguían luchando. Lucía se quedó temblando, pegada a la fría pared de piedra de la torre del homenaje. Entonces oyó relinchar un caballo y se dirigió hacia allá.

Momentos después salía disparada del castillo, montando una soberbia yegua alazana, galopando hacia los páramos, de espaldas al lugar donde, tras las colinas, el cielo comenzaba a clarear comiéndose las últimas estrellas.

No oyó los cascos del caballo que corría tras ella.

● ● ● ●

Reinaba el silencio en las mazmorras.

–Y ahora, ¿qué hacemos? –dijo entonces Michel.

Mattius trataba en vano de ver algo a través de la mirilla. Se encontraba fatal, pero la acción le hacía olvidar el dolor y la debilidad.

–No sé –dijo–. ¿Está muerto?

Michel miró fijamente el bulto exánime de García. «Me pregunto cómo habrá salido de la torre», pensó. En su lucha con Sirius, el castellano se había golpeado la cabeza contra un saliente del suelo de piedra. No se movía.

–No lo sé –respondió–. Y no me obligues a acercarme para averiguarlo.

–Está bien, está bien. El perro le vigilará. Tú concéntrate en esa cerradura.

Michel iba a obedecer cuando oyó un chirrido que los puso a los dos de nuevo en tensión.

–¿Qué ha sido eso? –susurró el juglar.

–No veo nada, pero...

La luz de las antorchas arrojó sobre el suelo la sombra de una mujer que avanzaba por el recodo.

–Es una dama.

Mattius maldijo para sus adentros.

–Dime que no es lady Alinor y te estaré agradecido el resto de mi vida.

La visitante dobló la esquina. El fuego iluminó su semblante pálido, infantil, y su larga melena pelirroja brilló con reflejos cobrizos.

–Es lady Julianna –informó Michel, aliviado.

–¡Aleluya! Pregúntale si puede abrir esto.

No fue necesario. La señora de Winchester avanzaba hacia ellos con un manojo de llaves en la mano.

–¿Qué ha pasado? –inquirió Michel.

–Nosotros ganamos. Los normandos están prisioneros o muertos. Algunos escaparon.

–¿Y lady Alinor?

–Escapó también. Los suyos la rescataron.

La cerradura se abrió con un chasquido. Mattius salió tambaleándose.

–Lucía –murmuró–. Ha ido a buscar a Lucía.

Se inclinó ante lady Julianna.

–Muchas gracias, señora –le dijo muy serio, en lengua sajona–. Si yo fuera un caballero, solo os serviría a vos.

La joven esbozó una triste sonrisa.

–Vámonos –urgió Michel–. Hemos de llegar a ese lugar antes de que lo haga lady Alinor.

Salieron del subterráneo, olvidando por completo el cuerpo inerte de García Núñez.

* * *

Lucía cabalgó sin descanso hasta que su yegua ya no pudo más. Entonces se vio obligada a parar y a reconocer que ella misma estaba al límite de sus fuerzas. Sin embargo, no se permitió una pausa prolongada. No tenía ni la menor idea de cuántos días faltaban para el fin del milenio, pero el invierno ya tomaba posesión de los páramos, y no le quedaba mucho tiempo. Cualquier retraso podría resultar fatal.

Siguió cabalgando en dirección noroeste, con la intención de detenerse en algún pueblo o granja solitaria para preguntar por el Círculo de los Druidas; pero ante ella solo se extendía un páramo brumoso e interminable.

Pasó varios días sin apenas comer ni dormir. La alazana estaba a punto de estallar, pero ella descansaba solo lo imprescindible. Al quinto día empezó a llover, y ya no paró.

Calada, hambrienta y agotada, buscó con la mirada un refugio cuando ya no pudo más. Frente a sus ojos, un poco más allá, comenzaba un inmenso bosque impenetrable.

Una fina columna de humo se elevaba entre las copas de los árboles desafiando a la lluvia. «¡Una casa!», pensó la muchacha, y espoleó a su yegua dirigiéndola hacia allí.

Se internó en el bosque y pronto fue incapaz de localizar el humo. Vagó sin rumbo bajo la lluvia, extenuada, hasta que el cansancio la venció y su vista se nubló.

Cayó de la montura, pero ya estaba inconsciente antes de tocar el suelo.

• • •

Emergió de golpe de un mundo de pesadilla poblado por damas engañosas, guerreros con grandes espadas y vinos adulterados, para encontrarse con una dolorosa luz brillante. Tenía calor, pero tiritaba.

Lenta, perezosamente, volvió a la realidad. Se descubrió acostada en un lecho, cubierta por una manta, en el interior de una rústica cabaña de madera. Una pequeña hoguera ardía en un hoyo en el centro de la habitación. Sobre ella reposaba un caldero en el que borboteaba algo que despedía un aroma tan delicioso como el de la sopa que le preparaba su abuela, en Galicia. Todo olía a verde y a hierba, y a la joven le trajo recuerdos de su hogar.

«Estoy en casa», pensó.

O tal vez no fuera así. Quizá el fin del mundo había llegado, estaban todos muertos y aquello fuera el cielo. Siempre se lo había imaginado como algo así.

Una figura se movía al fondo de la pequeña habitación. Caminaba con pasos menudos y ágiles, y machacaba algo en un mortero.

Lucía se esforzó en mirarlo bien. Podría ser un ángel. Sería la primera vez que veía uno.

Para su decepción, el ángel no era un hermoso y apuesto joven rubio con alas de pluma de cisne, sino un viejecillo encorvado, con un larga barba blanca y unos ojillos brillantes como brasas. La juglaresa parpadeó, perpleja. El rostro del hombrecillo estaba surcado de arrugas y tenía cierto color pardusco. No se parecía en nada a un ser sobrenatural.

–Qué... –murmuró, e intentó incorporarse.

El anciano reparó en ella y corrió hacia el lecho hablando una jerga que Lucía no entendió. Él pareció darse cuenta, y le indicó por señas que estaba débil y debía descansar.

A la joven no le gustaba la idea, pero debía reconocer que se sentía muy cansada. Cerca de ella había un ventanuco. Al mirar afuera vio a su yegua alazana pastando junto a la casa. Más allá, el bosque.

Recordó entonces el humo sobre las copas de los árboles, y cómo había buscado la casa infructuosamente. Tenía la vaga sensación de que se había desmayado.

Probablemente, el viejo la había encontrado.

Suspiró. No sabía dónde estaba ni si llevaba mucho tiempo allí. Pero no costaba nada intentar averiguarlo. Carraspeó.

–Señor, yo... busco un lugar.

Su salvador se volvió hacia ella y la miró con ojillos inquisidores.

–Tengo que llegar al Círculo de los Druidas –explicó–. ¿Entiendes? El Círculo de los Druidas.

El hombre hizo un sonido extraño y Lucía tardó algunos segundos en comprender que se estaba riendo. Frunció el ceño. ¿Qué le parecía tan gracioso?

Alegremente, el hombrecillo se golpeó el pecho y dijo:

–Druid.

Lucía no lo entendió y lo miró con extrañeza.

–Druid. Druid –insistió el anciano señalándose a sí mismo.

Lucía comprendió.

–¡Ah, tú... tú eres uno de esos... druidas!

El viejo asintió, contento de habérselo hecho entender.

–Entonces, sabrás dónde está el Círculo de los Druidas. ¿Oyes? El Círculo de los Druidas

El druida la miró, un poco perdido, y sacudió la cabeza. Lucía suspiró y se arropó con la manta. Se preguntó por qué no había hecho nada por aprender el idioma sajón mientras estaba en Winchester.

Observó cómo el viejecillo retiraba el caldero del fuego y apagaba la hoguera. Permaneció en silencio, con la vista fija en las pavesas que se extinguían, cuando se le ocurrió una idea.

Se levantó y avanzó hacia el centro de la cabaña, aún temblándole las piernas. El druida la miró alarmado, pero le dejó hacer. Se inclinó sobre las cenizas y cogió un carbón. Luego se acercó a una mesita construida a partir del tocón de un árbol y apartó con cuidado los montones de hierba que había sobre ella, procurando no mezclarlos. Con el carbón, intentó dibujar en la madera el monumento que había visto en su mente. Las rocas verticales y horizontales. El Círculo de Piedra. El Círculo de los Druidas.

El anciano contempló el dibujo gravemente y asintió. Dijo una sola palabra:

–Stonehenge.

Lucía tragó saliva. Tal y como lo había pronunciado, aquel nombre parecía encerrar una poderosa y misteriosa fuerza en su interior. Exactamente igual que el druida, se dijo, sorprendida por su descubrimiento. Exactamente igual que las meigas de Galicia.

Recordó de pronto dónde había oído antes la palabra *druida*. Su abuela le había hablado alguna vez de unos hombres sabios que vivían con los antiguos celtas, que tenían poderes como las meigas y que eran espíritus del bosque que habían escogido un cuerpo humano.

Todo leyendas.

Miró al hombrecillo con una mezcla de temor, respeto y cariño.

–No sabía que todavía quedara gente como tú –le dijo–. En Galicia se extinguieron, y solo las meigas los recuerdan.

El druida le dirigió una mirada limpia y transparente, como si hubiera entendido. Entonces, con una actitud que pretendía ser severa, le señaló la cama de nuevo.

–Estoy enferma, lo sé. Pero no por mucho tiempo –dijo Lucía mientras se metía bajo la manta–. Tengo que salvar el mundo, ¿sabes? –murmuró antes de quedarse dormida.

* * *

Tardó un par de semanas en reponerse del todo. Durante ese tiempo, no dejó de pensar en Mattius y en Michel, reprochándose una y otra vez el haberlos abandonado en el castillo de Winchester.

Mientras tanto, había mostrado al druida –que le hizo saber que se llamaba Guthlac– los dos ejes, que brillaban con una pálida luz irisada. El anciano los había estudiado con una mezcla de interés y temor, que se convirtió en estupefacción cuando miró a través de las piedras. Lucía se quedó intrigada: al igual que el capitán moro, el druida había visto algo que los demás no lograban ver. La muchacha no pudo explicarle toda la historia, pero insistió en que era urgente que llegara al Círculo de Piedra, Stonehenge o como se llamara, cuanto antes.

Una mañana, partieron.

Había llovido la noche anterior, y todo el bosque estaba húmedo. Lucía preparó su caballo y Guthlac aferró bien su nudoso bastón. No se molestó en cerrar la cabaña, y la juglaresa se preguntó por qué.

Dieron la espalda a la modesta casa y se internaron en el bosque.

Tres días después llegaron a otra cabaña, construida en el hueco del tronco de un enorme árbol caído. Era muy semejante a la de Guthlac, y Lucía se preguntó si sería la vivienda de otro druida. Su amigo pareció con-

tento de verla, pero al instante se formó en su frente una arruga de preocupación.

Entraron en la casa, tras abrir la puerta sin ningún esfuerzo. Los ojos de Lucía no habían terminado de habituarse a la semipenumbra cuando el druida emitió un lamento desconsolado y corrió hacia un rincón.

Sentado sobre una silla, inmóvil, dormía un anciano semejante a un árbol nudoso. Parecía incluso de más edad que Guthlac. Se había trenzado la larga barba blanca, pero sobre la cabeza ya no le quedaban cabellos. Tras observar con atención, Lucía entendió el porqué de la desolación de su amigo: el anciano no dormía, a pesar de la expresión plácida y pacífica de su rostro.

–Lo siento –musitó–. Era tu amigo. ¿Era un druida también?

Guthlac se volvió hacia ella. Su mirada era insondable, prendida de una tristeza infinita. No lamentaba la pérdida de su amigo; parecía tener la certeza de que ahora descansaba en un lugar mejor. El dolor que se asomaba a sus ojos parecía estar causado por algo peor: la soledad.

No hicieron falta palabras. Lucía comprendió.

–Eres el último –murmuró–. El último druida. ¿Por qué? ¿Dónde están los tuyos?

Con gestos, Guthlac le explicó que ahora los hombres solo luchaban y se odiaban entre ellos. En otros tiempos, dijo, también había guerras, pero el hombre escuchaba y respetaba a la naturaleza, y podía llegar a fundirse con ella. Así nacieron los druidas.

Pero ahora ya nadie hablaba a las flores ni acariciaba a los árboles, y las plantas se guardaban sus secretos para sí. La armonía se había roto, y la raza de los druidas estaba condenada a extinguirse tras la desaparición del pueblo de los celtas.

Lucía quedó asombrada. Lo había comprendido todo sin necesidad de palabras, y se preguntó qué clase de magia era aquella. Quiso explicarle que más allá del mar, en Galicia, quedaba un grupo de mujeres que aún poseía algunos de los conocimientos druídicos. Pero no supo cómo expresarlo sin necesidad del lenguaje.

Guthlac salió entonces de la cabaña y le indicó que lo siguiera. Le mostró un camino que discurría entre los altísimos árboles.

–Stonehenge –dijo.

Lucía lo miró.

–¿Tú no vienes? ¿Te quedas aquí?

Guthlac sacudió la cabeza y dirigió una mirada a la cabaña. La joven comprendió que debía honrar a su amigo muerto.

Con lágrimas en los ojos, se despidió de él. Montó en su yegua y siguió por el camino, dejando atrás la casa del árbol y a Guthlac, el último de los druidas.

●　●　●

El camino seguía dando vueltas a través del bosque. Lucía dejaba andar a su montura. Ella no lo sabía, pero aquel día era el último del año. El último del milenio.

Al anochecer llegó a Stonehenge, el Círculo de los Druidas. Las enormes piedras se alzaban, con una armonía perfecta, en medio de una gran explanada, allá donde acababa el bosque. La luna brillaba suavemente, bañándolas en una luz plateada.

Lucía se estremeció. Incluso sin los druidas, aquel lugar emanaba tal poder que se le erizó el vello. Su percepción fuera de lo común le indicó que, en tiempos no muy remotos, en Stonehenge podían producirse milagros.

La alazana no parecía tener muchas ganas de acercarse allí, de modo que Lucía desmontó y se aproximó a pie. Vagó entre los grandes bloques de piedra, como en un sueño, hasta que descubrió que algo en su cinto ardía como una brasa. Dentro del saquillo, los dos ejes despedían un intenso fulgor.

La juglaresa recordó su misión y exploró el lugar con la mirada. Justo en el centro del círculo, sobre la hierba, había una gran piedra plana que parecía una especie de altar de ofrendas. Lucía se acercó a ella.

• • •

–¿Y ahora qué hacemos, Mattius? –preguntó Michel–. Llevamos días dando vueltas por este bosque. No hay ni rastro de ella.

–Exacto. Hemos seguido sus huellas hasta aquí; de pronto desaparecen como por arte de magia y nos topamos con esa cabaña abandonada. ¿Tú qué opinas?

–No lo sé. No quiero ni pensar que Alinor la haya alcanzado.

–Pues no lo pienses. Esta es la última noche, Michel. Tenemos que encontrar ese lugar. Si hay suerte, Lucía estará allí. Si no…, prepárate para el Apocalipsis y la llegada del Anticristo.

Michel se estremeció. Llevaba mucho tiempo predicando aquello, pero en boca de Mattius parecía aún más terrible.

–Sé lo que estás pensando –dijo el juglar–. No deberíamos habernos entretenido tanto en Winchester.

–No, Mattius, no es lo que estoy pensando. Hicimos
bien en retrasar la partida unos días. No podías ni ca-
balgar. Además, los mapas que nos proporcionó el arzobispo resultaron muy útiles.

Sonrió para sí. Mientras Mattius se recuperaba del
encierro y la tortura sufridos, el monje había visitado
a Aelfric y le había pedido perdón por haberle creído
cómplice de la cofradía. Todo quedó claro: el arzobispo
no había interceptado el mensaje, solo le había preguntado al muchacho por qué llevaba tanta prisa. El
recadero, muy poco discreto, le había contestado que
llevaba una nota del hermano Michel para la doncella
de lady Alinor. «No me gusta meterme en asuntos aje-
nos», explicó el arzobispo, «así que lo dejé marchar. Pero
no me pareció bien que un religioso anduviera tontean-
do con muchachas, y te lo dije».

Michel, respirando profundamente, decidió confiar
en él.

No se arrepintió. Estudiaron juntos las profecías
de Bernardo de Turingia, y el arzobispo hizo todo lo
posible por describirle el lugar exacto. Le ofreció compañía y soldados que lo protegieran, pero Michel decidió seguir solo, con la única compañía de Mattius y su
perro.

Una exclamación del juglar interrumpió sus pensamientos:

–¡Eh, mira! ¿Qué es eso?

Frente a ellos se alzaba una curiosa construcción en
el tronco hueco de un enorme árbol. Mattius desmontó

y, antorcha en mano, corrió a ver qué o quién había dentro, seguido del perro.

–Extraño –dijo cuando salió–. No hay nadie. Solo el cuerpo de un viejo que debe de tener por lo menos cien años y unas ropas pardas en un rincón.

Michel apenas lo estaba escuchando. Había descubierto un camino bastante bien trazado, y alzaba su antorcha para verlo mejor.

–Mira, Mattius –dijo–. Juraría que se ha ido por aquí. Casi diría…

–Pues ¿a qué estamos esperando?

Montó de un salto sobre su caballo zaíno y lo espoleó para que entrara al galope por el camino.

Michel le siguió.

• • •

Lucía se rompió una uña y sintió que los dedos le sangraban, pero siguió escarbando tenazmente. Sabía que no se equivocaba.

Oyó un aleteo cerca de ella y se volvió. Un enorme búho gris la observaba fijamente desde lo alto de una de las rocas. La joven se sintió inexplicablemente reconfortada y siguió arañando la tierra.

De pronto, sus dedos toparon con una pequeña caja de madera. La desenterró y la sacó del agujero. La estudió bajo la luz de la luna. No parecía estar cerrada con llave: la abrió fácilmente.

Extrajo de su interior un ópalo de color indefinido engarzado en un soporte con forma de ojo. La piedra brillaba tenuemente con un suave fulgor irisado. Su tono era parecido al verde.

Colocó el amuleto sobre la piedra lisa del centro del círculo. Se llevó la mano al cinto y sacó los otros dos ejes del saquillo. Los dispuso junto al Eje del Pasado y los observó.

También se habían encendido. Uno relucía con una tonalidad azulada; la del otro era rojiza. La joven no sabía cuál era cual, pero no le importaba.

Se quedó un rato mirándolos, esperando que pasara algo. No sabía lo que tenía que hacer.

Hacía frío y la juglaresa estaba temblando. Echaba de menos a sus amigos. Mattius tenía razón: debería haberse quedado en su posada de Galicia. Ahora estaba sola, perdida e indefensa. Tenía hambre y frío. Y aquellas piedras sobrenaturales que bañaban su rostro en una luz irreal la llenaban de inquietud.

Quizá debería volver por el camino a buscar a Guthlac. Sí, eso haría.

Ya resuelta, se dispuso a coger los ejes y guardarlos en el saquillo cuando sintió una presencia tras ella, y un escalofrío le recorrió la espalda.

–Vaya, buen trabajo –comentó la voz de Alinor de Bayeux–. Ni yo misma lo habría hecho mejor.

Lucía se volvió rápidamente. No la había oído llegar.

La acompañaba un caballero normando. La joven se levantó con presteza. Cuando se lo proponía, era capaz de correr como un gamo. Quizá pudiera escapar.

Pero no podía dejar los ejes. Si lo hacía, todo su trabajo no habría servido para nada.

Aquel brevísimo instante de vacilación fue su perdición. Inmediatamente, los musculosos brazos del caballero se cerraron en torno a ella.

Lucía sabía que era inútil resistirse.

Alinor de Bayeux avanzó hasta ella. Portaba una antorcha en la mano y su semblante estaba serio, aunque había un brillo de triunfo en sus ojos. A la luz de la tea, estudió el rostro de la juglaresa como si lo viera por primera vez.

–¿Sabes? Podría matarte ahora mismo –dijo en castellano–. Pero faltan un par de horas para que acabe el último día del año. Me aburriría soberanamente si no pudiera charlar con alguien. Este sitio es tan... tétrico...

–Mis amigos vendrán a rescatarme –replicó Lucía, aunque no muy convencida.

–Oh, no lo creo, querida. García es un hombre muy capaz. Sé que tú escapaste, pero no estoy tan segura de que ellos tuvieran la misma suerte.

Lucía tuvo que admitir que probablemente tenía razón. El perro había entretenido al maestre, pero no por mucho tiempo.

Hubo un silencio. La juglaresa se preguntó si el soldado pertenecería también a la cofradía. Parecía que no, porque Alinor hablaba en castellano para que no la entendiera. Probablemente sería simplemente un caballero que les había jurado lealtad a ella y a su esposo, y que la obedecía por miedo a recibir un terrible castigo si no lo hacía. Lucía supuso que la dama poseía un gran poder en su castillo; quizá, en la sombra, era ella misma quien movía los hilos del destino del señor de Bayeux.

Se le ocurrió de pronto la idea de contarle al normando lo que estaba pasando, pero pensó que seguramente no la creería.

De todas formas, podía intentar...

–¿Por qué una dama como vos se ha unido a la cofradía? –preguntó en francés–. ¿Adoráis también al Anticristo?

Lady Alinor le dirigió una mirada astuta.

–No digas tonterías, niña –replicó, también en francés–. ¿Qué es eso de una cofradía? ¿Por qué hablas del Anticristo?

Lucía suspiró. Había sido un intento demasiado desesperado. La dama no se había dejado engañar.

Alinor se acercó a ella y le susurró al oído, en castellano:

–Pequeña, yo no adoro al Anticristo. Yo soy el Anticristo.

Lucía la miró sin comprender, pero horrorizada ante semejante declaración.

–Verás... Hasta hace poco más de dos años, yo era una aburrida dama de la corte normanda –le explicó ella, aún en castellano–. Las intrigas palaciegas ya no me satisfacían, ni siquiera el plan de invadir la Britania. Una de mis doncellas pertenecía a la cofradía, y yo lo descubrí. Temerosa de que la delatara a las autoridades eclesiásticas, me contó todos los secretos de los tres ejes, y lo poco que faltaba para el fin del milenio y el reinado del Anticristo. Según el Apocalipsis, la Bestia gobernará durante algún tiempo, pero después las huestes celestiales la vencerán y llegará el Juicio Final. La cofradía reza al demonio con la esperanza de que sea él quien venza en esta batalla. Debería llegar a través de los tres ejes; si la gente de la cofradía lo invoca, su poder será inmenso.

»A mí me interesó, sobre todo, la historia de las tres joyas. El Eje del Pasado permite ver todo lo que ha sucedido en el mundo a lo largo de este milenio. El Eje del Futuro muestra lo que está por venir hasta el fin del próximo. Y el Eje del Presente, además de mantener a su portador eternamente joven, le otorga el conocimiento de todo lo que está pasando en ese preciso instante en todos los rincones de la Tierra. ¿Entiendes el poder y la importancia de esos amuletos?

Hizo una pausa, como esperando que Lucía asimilara la información. La muchacha se estremeció. «La mirada de Dios», pensó recordando las palabras del moro.

–Por supuesto, acudí a Aquisgrán para examinar el Eje del Presente, pero era demasiado tarde –prosiguió Alinor–. Tus amigos ya se lo habían llevado. Fingí convertirme al credo de la cofradía y les financié sus actividades. Fui generosa con ellos. Enseguida me aceptaron como patrona, protectora y señora.

»Dije a mi esposo que tenía intención de peregrinar a Santiago, y no me lo impidió –sonrió–. Hace ya tiempo que el señor de Bayeux no tiene poder sobre mí. Me entrevisté con García Núñez, maestre de la cofradía, y juntos seguimos al juglar y al monje a lo largo del Camino. Escaparon de las meigas gracias a ti, y García quedó conmocionado por los sucesos de aquella noche. No me atreví a viajar sola y tuve que esperar a que su aterrorizada mente se recuperara. Cuando llegamos a Santiago, de nuevo, fue demasiado tarde.

»García salió en vuestra busca. Fue entonces cuando me enteré, por casualidad, de que la cofradía no conocía la ubicación del tercer eje. Llegué a la ermita justo a tiempo para impedir que ese estúpido maestre acabara con nuestra única fuente de información: el monje, que era quien sabía descifrar esos pergaminos. Lo único que debíamos hacer era seguiros, y fue una buena idea, sobre todo porque pensabais ir a Britania, un lugar que desde hacía tiempo tenía intención de visitar. Al duque de Normandía le pareció que enviar una espía camuflada de dama embajadora era un magnífico plan. Pero, por supuesto, yo tenía otros muchos proyectos. Y ya sabes por qué estaba en el mismo barco que vosotros, y por qué te tomé a mi servicio.

Una sospecha cruzó la mente de Lucía.

—La muerte de la doncella no fue natural —murmuró.

—Claro que no, qué cosas dices —replicó la dama, ofendida—. Nada de lo que pasa a mi alrededor es casual. Y el barco normando tampoco se quemó por azar. Hice que García lo incendiara para tener una excusa para quedarme en Winchester, porque, una vez allí, comprobé que vosotros estabais tan perdidos como yo. Pero cuando vi aquella nota que te mandaba el monje, me di cuenta de que habíais descubierto algo nuevo. Ya no hacía falta andarse por las ramas.

—Entonces fuisteis a ver al arzobispo y le dijisteis que yo había confesado que fue Mattius el autor del incendio —concluyó Lucía—. Para continuar en la sombra a pesar de todo. Para hacer que él sospechase de mí y seguir maniobrando con comodidad.

—García fue muy persuasivo, pero el juglar terminó convenciéndolo a él de que no sabía nada. Tú tampoco sabías nada. Solo me quedaba el monje, y si esa estúpida de lady Julianna no hubiese metido sus narices donde no le importaba...

No concluyó la frase. Exhaló un profundo suspiro y detuvo su caminar nervioso. Oteó el horizonte, pero todavía no clareaba.

Lucía se sentía débil, asustada y muy sola.

–Ya tenéis los ejes –dijo–. ¿A qué estáis esperando?

–Ya te lo he dicho. Cuando acabe el milenio, en el momento antes de que comience el Apocalipsis, invocaré su poder. García y sus patéticos amigos creen que actúo siguiendo los intereses de la cofradía. ¡Cuán equivocados están!

Suspiró de nuevo y sacudió la cabeza.

–¿Y no es así? –se atrevió a preguntar Lucía.

Sentía los brazos entumecidos, pero el normando no aflojaba la presión. La dama contempló los amuletos sobre la piedra, con expresión pensativa.

–Mil años de Iglesia cristiana –dijo–. Toda una era. Estas joyas son la puerta y la llave para que esa era finalice. Y ahora las poseo yo. Se acabó el cristianismo: ya falta menos para el inicio de la era de Alinor.

Lucía nunca había oído nada tan blasfemo, y se quedó estupefacta. La dama lo vio y sonrió.

–¿Te escandaliza, querida? –le preguntó con suavidad–. ¿Por qué? Reclamaré para mí el poder de los tres ojos. Piénsalo. La omnisciencia y la inmortalidad. El poder sobre el tiempo. Dentro de unos instantes, yo reinaré sobre el mundo.

Lucía sintió que se mareaba.

–Eres humana –susurró–. Ningún mortal debería acumular tanto poder. La Iglesia...

–¿Defiendes a la Iglesia? –la interrumpió ella–. ¿Nunca te has cansado de escuchar una y otra vez, desde niña, que eres malvada e impura por el hecho de ser mujer? ¿Que por alguien como tú entró el pecado en el mundo? ¿No has sufrido abusos, humillaciones y desprecios por no haber nacido hombre?

La miró fijamente.

–Tú eres como yo –prosiguió–. Desafiaste al orden establecido para buscar tu derecho a ser feliz. La Iglesia cristiana se fundó para los hombres, Lucía. A partir de mañana, todo será diferente.

La juglaresa notó un tono de tristeza y amargura en su voz. Intuyó un profundo daño en aquella alma de fuego. Se preguntó cuánto había sufrido Alinor de Bayeux, cuánto había tenido que soportar una mujer orgullosa e inteligente, tratada como un objeto, vendida a los doce años a un hombre de cuarenta. Jugándose la vida en cada parto. Obligada a callar porque la opinión de una mujer no era importante. Condenada a ser un objeto decorativo, un mero trámite para perpetuar el linaje de un rudo guerrero. Viendo correr la misma suerte a sus hijas.

–Sufrí un auténtico infierno con mi primer marido –le contó ella; le temblaba la voz–. Me trataba peor que a su perro. Le di cinco hijos y perdí otros cuatro por culpa de sus palizas de borracho. Era su vida o la mía, y fue entonces cuando empecé a experimentar con las pócimas. Cuando mi esposo murió, me casaron de nuevo, pero esta vez logré llevar yo las riendas.

Siempre. Para que nunca más me trataran peor que a un perro.

Lucía no dijo nada, sorprendida de descubrir aquellas cosas sobre el pasado de la orgullosa Alinor de Bayeux. Comprendió entonces por qué le estaba contando todo aquello. Probablemente, nunca nadie la había escuchado antes.

¿Tendrían los ejes el poder de convertirla en una especie de semidiosa? Lucía no lo sabía, y no quería saberlo. Alinor buscaba venganza contra un mundo que la había tratado injustamente. Su diabólica inteligencia había movido las piezas una tras otra. Pero era una simple mortal, y Lucía sabía que jugaba a un juego peligroso. Incluso con los poderes que ella atribuía a las piedras, el querer imponer sus propias reglas al mundo podría volverse en su contra.

Mattius y Michel querían impedir el fin del mundo. Querían que la vida siguiera mil años más.

«¿Para que todo siga igual?», se preguntó Lucía, presa de una súbita rabia. «¿Para que haya hambre, guerras y epidemias? ¿Para que se siga arrebatando a tanta gente el derecho a decidir su destino?».

Ella había gozado de la protección de su abuela, pero ni la meiga Isabel había podido librarla de las palizas de su padrastro. Habían pretendido casarla con un hombre a quien no amaba.

–Tú haces lo que quieres –dijo Alinor con envidia–. Pronto, yo también lo haré.

Lucía intentó imaginarse un mundo gobernado por Alinor de Bayeux, una Alinor eternamente bella y radiante, una Alinor que poseyera una sabiduría infinita. Ninguna mujer volvería a sufrir abusos.

Apartó aquellas ideas de su mente, muy asustada. Se obligó a sí misma a recordarse que Alinor no era ninguna santa. Había asesinado a su doncella, había torturado a Mattius, había hecho incendiar el puerto. Cercamón también estaba muerto por culpa de sus intrigas. Y ni ella ni Mattius ni Michel seguirían ahora con vida de haber sabido Alinor dónde encontrar el Eje del Pasado.

Lucía estaba increíblemente confusa. Sintió que algo en su interior se extinguía, que las fuerzas la abandonaban. «Que acabe todo ya», pensó. «No quiero seguir viviendo. Es demasiada carga para mí».

Alinor seguía paseando arriba y abajo, sumida en sus pensamientos. Los bajos de su vestido, manchados de barro, arrastraban sobre la hierba.

El soldado normando parecía inquieto, pero no dijo una palabra. Lucía se preguntó hasta qué punto temía a su señora.

–Nunca lo conseguirás –musitó la juglaresa; no recordaba en qué momento había comenzado a tutearla, pero eso no importaba ahora–. No mereces ese poder.

Los ojos de Alinor se clavaron en ella con una ira relampagueante.

–¡Tampoco merecía ese marido! ¡Ni mis hijos merecían morir antes de ver la luz! ¡Yo era solo una niña!

Lucía tragó saliva. Alinor prosiguió, más calmada:

–No importa lo que tú creas, querida. Puedes escoger contemplar mi triunfo o morir antes, lo dejo a tu elección. Pero es algo que sucederá, os guste o no. El poder de los ejes será mío y gobernaré sobre el mundo. Ni vosotros ni esa ridícula cofradía podréis impedirlo. El Anticristo, ¡ja! Pueden llamarme así si lo desean. Yo sustituiré a aquel a quien se ha venerado durante mil años. Pero yo no me dejaré crucificar.

Súbitamente se oyó un silbido, y el caballero normando, muy pálido, puso los ojos en blanco y cayó pesadamente sobre Lucía, sin un solo grito. Estaba muerto.

La muchacha hizo esfuerzos por levantarse, pero no lo logró. Estaba atrapada. El caballero llevaba una pesada cota de mallas que, sin embargo, no le había salvado la vida. Una pequeña flecha, corta, gruesa y afilada, sobresalía de su nuca.

Lucía jadeó tratando de desembarazarse del peso, mientras Alinor, muy pálida, escudriñaba las sombras alzando la antorcha.

—Una lástima que nos hayáis subestimado, señora —tronó una voz—. Ahora que conocemos vuestra traición, podéis consideraros muerta.

Una figura salió de detrás de una de las rocas. García, el guerrero castellano, avanzó hacia la luz con gesto torvo. Tenía una oscura cicatriz en la sien y portaba una ballesta.

Alinor, blanca como la cera, retrocedió unos pasos. Había hablado con Lucía en castellano para que el normando no se enterara de sus planes. Si lo hubiera hecho en francés, habría sido García el desinformado. Un pequeño pero trágico error.

—Adiós, señora —murmuró el castellano—. Saludad de mi parte a Lucifer en el infierno.

El dardo salió disparado con un chasquido y fue a hundirse limpiamente en el pecho de Alinor de Bayeux, que cayó al suelo con un último suspiro. La antorcha se apagó.

–Nadie traiciona a la cofradía sin quedar impune –murmuró García; se fijó en Lucía, paralizada por el terror–. Tampoco tú.

Armó otra flecha en la ballesta y apuntó hacia la chica. Ella se libró, en un último esfuerzo, del cuerpo del caballero, pero la debilidad hizo que le temblaran las piernas y cayó de rodillas sobre la hierba. Todo había sucedido en cuestión de segundos y pugnaba por tomar cuerpo en su mente la idea de que iba a morir.

Pero entonces se oyó un aleteo y un golpe seco, el silbido de una flecha y un grito de frustración. El dardo fue a estrellarse contra una de las piedras del círculo, y Lucía se atrevió a mirar de nuevo: García luchaba por desembarazarse de un enorme búho que lo atacaba, impidiéndole disparar a la joven.

–¡A él, Sirius! –resonó la voz de Mattius en algún lugar del círculo.

Lucía creyó que lo había imaginado, pero el enorme perro lobo se lanzó sobre García.

La juglaresa se incorporó y observó, bajo la tenue luz nocturna, el confuso bulto del hombre peleando contra el ave y el perro, que gruñía y mordía. Algo metálico brilló en la oscuridad, y Sirius emitió un aullido.

–¡Aléjate de él! –gritó Mattius–. ¡Tiene un cuchillo!

El perro se apartó solo un poco. García se incorporó, tambaleante. Una sombra se arrojó sobre él por la espalda, desde la oscuridad.

Forcejearon. La daga brillaba en lo alto, y los dos hombres lucharon por ella. El búho ululaba sobre sus cabezas, descendiendo para atacar y remontando el vuelo, una y otra vez.

Uno de los dos fue más fuerte. El puñal se hundió en el pecho del otro, que emitió un gemido y cayó pesadamente al suelo. El búho se elevó hacia las alturas y se perdió en la oscuridad de la noche.

Lucía escudriñó las sombras, llena de inquietud. Temblando, sosteniéndose a duras penas sobre sus piernas, la figura avanzó hacia ella. Era alta y delgada. Los cabellos ondulados se encrespaban cayéndole sobre los hombros.

La silueta era la de Mattius.

Lucía logró levantarse y fue a su encuentro. Casi llorando, se refugió entre sus brazos.

–Era tu vida o la suya, Lucía –murmuró él–. Yo... no podía dejar que...

La muchacha nunca había creído que llegaría a percibir tanta ternura en la voz del cáustico juglar. Dejó que la estrechara entre sus brazos y descubrió, no sin sorpresa, que habría querido estar así siempre.

–Creía que estabas muerto –dijo.

–Soy demasiado cabezota como para dejarme matar.

Una luz inundó el círculo. Michel entró en él con una antorcha y aspecto preocupado. Se tranquilizó al ver que sus amigos estaban bien, y echó un vistazo a los cuerpos que yacían sobre la hierba.

–Es una larga historia –dijo Lucía; se separó de Mattius con un suspiro y miró a Michel con determinación–. Falta ya muy poco. ¿Qué debemos hacer?

Los ejes seguían sobre la piedra. Michel se acercó y los contempló; después, miró a sus amigos con gravedad.

–Acercaos –dijo.

Siguiendo las indicaciones del joven monje, se colocaron alrededor de la piedra.

–Coged cada uno un amuleto. –La voz del muchacho sonaba como lejana, irreal–. Y alzadlo por encima de la cabeza.

Mattius y Lucía obedecieron.

–Cerrad los ojos y concentraos. Voy a invocar al Espíritu del Tiempo. Tenéis que unir vuestras almas a mis palabras: desead con todas vuestras fuerzas que nos escuche y responda.

Hubo un silencio. Los ejes relucían tenuemente sobre los tres amigos.

–El fin del milenio ha llegado –dijo Michel–. Ha terminado este ciclo. Han pasado mil años desde que se te invocó por última vez, a ti, que haces girar la Rueda del Tiempo. En este último día acudimos de nuevo a ti. ¡Respóndenos!

Se levantó un fuerte viento que sacudió los árboles y golpeó sus rostros. Pese a ello, nadie abrió los ojos. Los ejes aumentaron la intensidad de su brillo.

Una voz sin voz, como un pensamiento, sonó muy suave y dulcemente dentro de sus corazones.

«He llegado. Estoy aquí. ¿Qué queréis?».

–Queremos que la Rueda del Tiempo siga girando –dijo Michel–. Queremos otra oportunidad.

«No sabéis lo que decís. La hora ha llegado. El mundo debe tocar a su fin».

–Nos resistimos a dejar la vida. Queda mucho por hacer.

«Vosotros no habéis visto lo que yo he visto», suspiró la voz con tristeza.

Lucía se sintió conmovida. Había imaginado al Espíritu del Tiempo como un ser severo y terrible. Pero aquella voz parecía la de un niño.

–Queremos verlo –dijo Michel.

«¿Estáis seguros?».

–Sí.

La voz los abandonó, y sintieron una horrible sensación de pérdida. El viento sopló con más fuerza y empezó a girar, como un tornado, alrededor suyo. Los gemidos lastimeros de Sirius se oían muy lejanos.

Notaron un cosquilleo en las puntas de los dedos que sujetaban los ejes. La sensación se extendió por todo el cuerpo.

Y entonces dio comienzo la experiencia más increíble de sus vidas, porque vieron con la mente todo lo que jamás podrían contemplar sus ojos.

Un torbellino de imágenes sacudió sus mentes. Eran como *flashes* de escenas cambiantes que se reemplazaban a una velocidad de espanto, y en medio de aquel caos, rostros, paisajes y tiempos se entremezclaban indiscriminadamente. Tuvieron que reprimir un grito y soportar en pie aquella desconcertante sensación de vértigo.

Entonces, poco a poco, las imágenes empezaron a moverse más despacio, y los tres pudieron verlas con mayor claridad.

● ● ●

En la mente de Lucía, la proyección comenzó con la escena de un hombre crucificado. Vio cómo moría perdonando a sus verdugos y predicando una doctrina totalmente novedosa, la de la paz y el amor. Vio a hombres llenos de fe que recorrían el mundo llevando sus palabras; vio cómo los persiguieron y torturaron. Vio cómo nacía la nueva Iglesia y fue testigo de su paulatina corrupción. Vio la decadencia de un imperio, vio luchas entre bárbaros y vio a ejércitos de hombres lanzarse a conquistar el mundo bajo el emblema de la media luna. Vio espadas teñidas de sangre. Vio a la gente morir de hambre, de frío, de dolorosas enfermedades. Vio a muchos seres humanos vivir como esclavos, a la vez que se sucedían frente a ella reyes, príncipes y emperadores cubiertos de joyas. Vio hordas de vikingos incendiar y saquear pueblos enteros; pero, junto a esta imagen, había otras de guerreros cristianos haciendo exactamente lo mismo.

Se vio a sí misma de niña. Se observó crecer y madurar. Contempló su vida hasta el momento antes de iniciar la invocación.

Todo esto le resultó reconocible. Pero también había imágenes perturbadoras, extrañas, del pasado de pueblos y razas desconocidos que vivían de un modo totalmente distinto al suyo. Sus pieles eran oscuras, rojizas o amarillentas. Hablaban extrañas lenguas y todos ellos habitaban en su mismo mundo. Lucía los vio evolucionar a lo largo de mil años. Y supo que el mundo no se acababa en Finisterre.

En apenas unos segundos había visto tantas cosas, tanto dolor, tanto odio, tantos crímenes, que se preguntó cómo era posible que la humanidad apenas hubiera cambiado en mil años. Quiso cerrar los ojos al pasado, pero ya los tenía cerrados. Otros ojos, los de la mente, seguían sin embargo abiertos de par en par. Luchó por escapar de allí, pero las imágenes seguían sucediéndose sin piedad.

● ● ●

Mattius experimentó de pronto cómo su mirada se ampliaba hasta cubrir todo el mundo, que se hizo pequeño para caber en su mente. El Ojo del Presente le mostró cada rincón, cada recoveco, cada palmo del cielo, la tierra y el mar. Y descubrió con asombro que el mundo era inmenso, mucho más de lo que nunca había podido imaginar. Con infinito estupor comprobó que tenía forma de esfera, y que había muchas tierras adonde los cristianos no habían llegado, tierras habitadas por hombres de extraños colores de piel. Aprendió, fascinado, que ni aunque viviera mil años podría visitar todo lo que estaba contemplando comprimido en un solo instante.

Y en aquel preciso momento, el mundo estaba sumido en el caos. Vio tantos crímenes y tanta miseria que comprendió que ni aun viviendo mil años podría librarse de aquella carga. En todas partes había guerras, hambre, odio y miedo. Mattius había visto muchas cosas, pero aquello lo superaba todo. La humanidad, como una inmensa manada de lobos aullantes, se destruía a sí misma. Mattius la veía desde una perspectiva global, que todo lo abarcaba; observaba a cada hombre, cada mujer y cada niño del planeta y, a pesar de aquella evidencia de unidad, de formar un todo, veía que los seres humanos se empeñaban en luchar entre ellos y aumentar las diferencias, en crear barreras y abismos, en fraccionar algo que, en el fondo, era una sola cosa.

Al comprenderlo, al poseer por unos instantes aquella mirada divina, Mattius supo por qué la voz del Espíritu del Tiempo sonaba tan infinitamente triste.

* * *

Michel vio con sorpresa a Mattius y Lucía esperando un hijo, y comprendió que estaba contemplando el futuro. Aquella imagen le llenó de felicidad.

Sin embargo, inmediatamente después vinieron otras escenas, terribles y violentas. Vio al rey Ethelred dirigiendo, con las armas del comerciante normando, una masacre contra los invasores daneses, en la que morían muchas mujeres y niños. Vio también la terrible venganza de los vikingos y su total conquista de la isla. Vio el castillo de Winchester en llamas.

Los tiempos y los lugares se sucedieron rápidamente. Vio a los normandos cruzar el mar para apoderarse de Britania, y los vio gobernarla durante varios siglos. Vio a los cristianos de la península Ibérica ganar terreno a los moros. Vio a miles de caballeros cristianos partir a Tierra Santa para reconquistar los Santos Lugares.

Vio muchas guerras, y gran parte de ellas se libraban por ambición o por miedo e intolerancia ante un grupo de seres humanos que era distinto por raza, lengua o religión. Vio cómo la Iglesia se volvía intransigente y quemaba y torturaba a los disidentes. Vio a la gente morir por millares bajo el mazazo de una epidemia que llamaban la peste.

Vio también, de pronto, cómo el mundo se hacía más grande con el descubrimiento de nuevas tierras allende el mar. La sensación de alegría al vislumbrar aquellos paraísos se desvaneció enseguida al ver cómo los cristianos llegaban para someter, torturar y asesinar a los nativos, y expoliar sus tierras.

Fue testigo de la colonización de nuevos continentes y de la invención de máquinas que hacían al hombre la vida más sencilla. Asistió fascinado al progreso de la técnica y la ciencia; pero, mezcladas con esas maravillas, se colaban aún imágenes de sufrimiento, miseria y violencia.

Vio asombrado el levantamiento de los plebeyos franceses contra sus señores y el inicio de una época caótica. Docenas de nobles perdían literalmente la cabeza y aparecía un nuevo concepto: igualdad.

Las revoluciones se sucedieron por todo el mundo. La época feudal acabó. La aristocracia de sangre fue sustituida por la aristocracia del dinero.

Vio a las naciones expoliar a sus colonias. Vio grandes progresos técnicos, mientras muchos hombres aún trabajaban como esclavos. Tampoco se le escapó la fabricación de armas cada vez más perfectas y letales.

Conoció los grandes sueños revolucionarios. Libertad, solidaridad, igualdad. Y mientras, la gente seguía pasando hambre. Había guerras y torturas, violaciones y matanzas.

Vio cómo crecían las industrias y fabricaban objetos a una velocidad asombrosa. El mundo se llenó de humo y de ruido. Todo se movía con una rapidez de vértigo.

Vio máquinas que llevaban a las personas volando por el cielo como si fuesen pájaros. Vio carros que avanzaban sin necesidad de caballos que tiraran de ellos, por interminables caminos negros. Vio aparatos que permitían a la gente comunicarse aun estando muy lejos unos de otros. Y vio muchas otras cosas cuyo significado no entendió.

El mundo se había transformado brutalmente. Las casas eran tan altas que rozaban las nubes. El número de personas se había multiplicado.

Pero el aire era menos limpio y los bosques disminuían a una velocidad alarmante. El hombre destruía una naturaleza que en tiempos de Michel era sagrada, temida y respetada. El ruido acallaba los cantos de los pájaros. Todo se movía tan rápido que el muchacho sentía vértigo solo de verlo.

Aquel futuro era aterrador. Michel pensó que no había nada más horrible.

Y entonces vio las guerras.

Conocía las luchas con espadas, arcos y lanzas. Había sido testigo de la aparición de cañones, pistolas y fusiles cada vez más avanzados.

Pero aquella guerra...

Michel no pudo dejar de verla: una sucesión de horrores que duró varios años, cerca de medio siglo antes del fin del segundo milenio. Torturas, masacres, bombardeos... Murieron millones de personas, y el monje pensó que estaba asistiendo al Apocalipsis definitivo.

Cuando comprendió que aquello lo había hecho el hombre, el horror y la repugnancia ante aquel acto le hicieron desear ser cualquier cosa menos un ser humano. Buscó desesperadamente alguna ventaja en las nuevas técnicas y descubrió que, si bien parte de la población disfrutaba de una vida mejor que la de cualquier emperador de su tiempo, aún había mucha gente que moría de inanición. Los más afortunados veían estas imágenes, veían a aquella pobre gente agonizar en unas mágicas pantallas que, como los ejes, les mostraban el mundo. Pero no hacían nada por ayudarlos.

Michel sintió que las lágrimas le rodaban por las mejillas.

«¿Comprendes ahora?», dijo el Espíritu del Tiempo.

«Sí», pensó Michel.

«Puedo dejar vivir a la humanidad mil años más. Nada cambiará. El hombre trabaja para su propia destrucción».

Michel no dijo nada. Solo lloraba. Pero no había suficientes lágrimas para calmar su dolor.

«El mundo está viejo y debe morir», se dijo.

De pronto pensó en Mattius y Lucía, en aquella escena del principio. La buscó en el torbellino de imágenes y se aferró a ella. Quería morir con la visión de algo tan hermoso como aquel amor que podría haber engendrado una nueva vida.

Se sintió cálidamente reconfortado, y empezó a buscar más imágenes como aquella.

Le sorprendió el resultado. Descubrió que los seres humanos podían sentir amor además de odio. Amor de las madres que acunaban a sus bebés. Amor de esposos. Amor entre hermanos. Amor entre amigos. Entre amantes. Vio destellos de algo grande, muestras de heroísmo, de confianza, de sacrificio, de fe. Vio escenas de felicidad familiar. Vio gente que luchaba por causas justas. Gente capaz de comprender y perdonar. Gente que perseguía sueños, esperanzas e ilusiones.

Seres humanos que lloraban y reían, que amaban y odiaban, que sufrían y experimentaban momentos fugaces de felicidad.

• • •

«¿Y esto?», preguntó al Espíritu del Tiempo al cabo de un rato. «La risa de los niños, el amor entre jóvenes, la amistad sincera, el cariño, la confianza, la fidelidad. He visto a gente arriesgar su vida por ayudar a los necesitados en una zona de guerra; trabajar codo con codo para salvar vidas, casas, cultivos, después de una inundación o un temblor de tierra. Viajar a regiones pobres para socorrer a los que pasan hambre. Unirse como una piña para pedir el fin de la violencia. Sentarse a hablar pacíficamente de sus diferencias. Hay personas que luchan por salvar el planeta, el aire, el suelo, el mar y las plantas. Gente que trabaja por un mundo mejor. Por el fin de la guerra, la miseria y la esclavitud. ¿No merecen una oportunidad?».

«Son pocos», respondió el Espíritu del Tiempo.

«Pero cada vez más».

«Cuando termine el próximo milenio, el mundo habrá cambiado, pero el alma humana seguirá igual. Los humanos son destructivos. No pueden aprender».

«¡Pero lo están haciendo! Es un proceso lento, quizá se necesiten más de mil años o más de dos mil».

Hubo un breve silencio. Entonces el Espíritu dijo:

«Has visto el futuro. Sabes lo que es capaz de hacer el ser humano. ¿Sigues confiando en la humanidad?».

«Sí, confío en la humanidad», dijo Michel firmemente. «He visto cosas hermosas y cosas horribles. Tengo la esperanza de que, con el tiempo, milenio tras milenio, las personas serán capaces de crear un mundo donde solo haya belleza».

«Eso no es posible. El alma humana no puede producir solamente cosas bellas».

Michel calló un momento y meditó. Luego, simplemente, dijo:

«Yo tengo fe».

«¿Tienes fe en las personas?».

«Así es».

«¿Y respondes por toda la humanidad? ¿Depositas tus esperanzas en el género humano?».

«Sí».

«Eres valiente», comentó el Espíritu del Tiempo. «Pero no basta tu palabra. Tienes que dar algo a cambio. Algo lo suficientemente valioso como para volver a poner en marcha la Rueda del Tiempo».

Michel lo pensó durante unos minutos. Luego declaró:

«Me doy a mí mismo. Entrego mi propia vida».

«¿Una sola vida... a cambio de miles de millones de vidas?».

«Es todo lo que tengo. No puedo disponer de las vidas de otros, porque no me pertenecen».

«Eres sabio y generoso. Tu sacrificio hará que el mundo gire mil años más. Después, en el año dos mil, otro tendrá que tomar tu lugar, al igual que hubo alguien antes que tú que murió por todos los hombres».

«Yo no puedo compararme a Él», dijo Michel con respeto, «porque me otorgaron el don del conocimiento y, en lugar de compartirlo, me encerré en mí mismo y me lo guardé para mí. He sido un cobarde. No he tenido valor para enfrentarme al mundo y difundir el Mensaje. La noticia de que todos somos una sola cosa. Un universo único. Y Dios está en todos nosotros. En todas las cosas».

«Puedes entregar tu vida, y esta será bien recibida. Pero nadie puede saber si dentro de mil años aparecerá otro que renueve el sacrificio».

«Yo sé que sí».

«¿Lo sabes?».

«Tengo fe».

Otro silencio.

«No puedo acusarte de ignorancia», concluyó el Espíritu, «porque ya lo has visto todo y conoces el futuro. Y, pese a todo, crees que vale la pena morir por él».

«Hay una nueva esperanza con cada niño que nace», respondió Michel. «Una sola muerte es un precio muy bajo por tantos miles de millones de nuevas esperanzas».

«Pareces decidido».

«Lo estoy».

«¿Respondes por el futuro de la humanidad?».

«Respondo».

«Sea, pues».

Las imágenes giraron cada vez más rápido, hasta que fue imposible distinguirlas. Michel no sintió miedo. Una brillante luz acudió a su encuentro, y sintió un terrible dolor en su interior. Se esforzó por soportarlo y seguir adelante.

Y de pronto, todo se acabó.

• • •

Mattius abrió los ojos parpadeando. La luz del alba se filtraba por entre las rocas milenarias de Stonehenge.

Se incorporó y miró a su alrededor. Lucía y Michel yacían sobre la hierba, no muy lejos de él. Sirius se lamía una herida en el costado pero, al ver consciente a su amo, alzó la cabeza y movió el rabo.

Los tres ejes descansaban sobre la tabla de piedra. Su brillo se había apagado y las gemas, opacas, ya no parecían tan mágicas.

«Debe de haber sido un sueño», pensó.

Despertó a Lucía sacudiéndola suavemente. La joven abrió los ojos y, tras un breve instante de desconcierto, se levantó, excitada.

–¡Mattius, vi tantas cosas a través del eje! El moro tenía razón: era como poseer la mirada de Alá.

El juglar no le preguntó qué había visto. Prefería no saberlo, y también olvidar su propia experiencia.

–Es el primer día del año, y estamos vivos –observó–, así que sugiero que nos pongamos en marcha y busquemos algún lugar civilizado.

Se acercó a Michel y lo sacudió para despertarlo, pero el muchacho no se movió. Impaciente, Mattius iba a repetir el gesto, pero advirtió entonces la palidez mortal de su amigo y, precipitadamente, con el corazón golpeándole contra el pecho, le tomó el pulso.

Lucía comprendió lo que pasaba, y ahogó un gemido.

Mattius aferró el cuerpo de Michel y lo sacudió por los hombros.

–¡Maldita sea, Michel, despierta! ¡No te vayas! ¡No me hagas esto!

Su grito terminó en un sollozo. Cerró los ojos y sintió las lágrimas corriéndole por las mejillas.

–¿Por qué tú, amigo mío? –susurró–. Eras tan joven...

Notó la presencia de Lucía, que se había acercado a él y le abrazaba por la espalda. Mattius agradeció el contacto de aquellos brazos menudos que lo estrechaban con fuerza.

–Tú oíste lo mismo que yo anoche –murmuró ella–. Oíste cómo Michel ofreció su vida a cambio de mil años más.

Mattius no respondió enseguida. Le costaba admitir que todo aquello había sido real.

–Sí –dijo de mala gana.

–Y oíste que al principio estaba asustado. Dijo que había visto cosas horribles en el futuro –se estremeció–. Que no nos aguarda un milenio mejor.

–Pero él tenía fe. Y yo confío en él.

Mattius se secó los ojos con el dorso de la mano. Después se levantó, resuelto, y caminó hasta la piedra plana. Cogió el Eje del Presente y se acercó de nuevo al inerte Michel.

–¿Qué vas a hacer? –preguntó Lucía.

Mattius prendió el amuleto en la ropa de su amigo muerto.

–Ya he visto el poder de esa cosa. Mantiene intactos los cuerpos. Quiero que el de Michel siga así, como está ahora, para siempre. Como si durmiera.

Lucía no dijo nada. Silenciosas lágrimas corrían por sus mejillas.

–Sé de un sitio perfecto –prosiguió Mattius–, donde su cuerpo podrá descansar por toda la eternidad. Sé que, si él pudiera verlo, le encantaría.

Lucía no respondió. Ninguno de los dos habló durante un buen rato, hasta que Mattius preguntó:

–¿Qué vas a hacer tú ahora?

Lucía lo pensó un momento. Después dijo resueltamente:

–Viajar. Recorrer todo el mundo. Contar a la gente todo lo que he aprendido gracias a Michel. Después de haberle perdido, ya no puedo quedarme callada.

Mattius la miró intensamente. Aquel sentimiento le había molestado al principio porque amenazaba su preciada libertad. Ahora sentía que, si la dejaba marchar, nunca más volvería a sentirse libre.

–No llegarás muy lejos sola –le advirtió, y recordó que, tres años atrás, le había dicho lo mismo a un monje casi niño, delgado y asustado, que pretendía viajar hasta Aquisgrán.

Lucía se volvió hacia él y lo miró.

–No voy a volver a la taberna –dijo.

–No iba a dejar que lo hicieras –Mattius se acercó a ella y alzó la mano para acariciarle el rostro–. Me gustaría que vinieras conmigo, que viéramos mundo juntos..., es decir..., si aceptas por compañero a un pobre juglar trotamundos. Sé que te han ofrecido cosas mejores.

Los ojos de Lucía se llenaron de lágrimas otra vez.

–No, Mattius –dijo–. Nunca me han ofrecido a nadie mejor que tú.

Se fundieron en un abrazo. Mattius apenas se atrevía a tocarla, y se preguntó por qué era tan especial, tan diferente, tan maravilloso. Antes había habido otras mujeres, cosa de una noche o dos. Ahora tenía la sensación de que solo existía Lucía.

Juntos enterraron los cuerpos de lady Alinor, García y el normando, y curaron la herida de Sirius. Juntos fabricaron un lecho de ramas para transportar el cuerpo de Michel. Juntos abandonaron Stonehenge con el perro y los caballos, uno de los cuales arrastraba la camilla donde yacía el joven monje.

Juntos enfilaron por el camino que se adentraba en el bosque, llevando cada uno un eje, y dejaron atrás el Círculo de los Druidas.

Un enorme búho los observaba desde una rama, sin apartar de ellos sus grandes ojos dorados.

Lucía, cogida de la mano de Mattius, sonrió al ave.

–Adiós, Guthlac –dijo.

Epílogo

Durante los primeros meses del nuevo año, un singular fenómeno aterrorizó a media Europa: una enorme estrella surcó los cielos, clara, brillante, anuncio de una nueva etapa, pero que muchos tomaron por una señal cierta de que el fin de los tiempos estaba llegando. El cometa se vio a lo largo de toda la primavera y después, como había llegado, se marchó.

Y el mundo no se acabó.

Mont Saint Michel era una modesta abadía ubicada en la costa normanda. Había sido construida en lo alto de una colina que se adentraba en el mar. Un estrecho cinturón de tierra la unía al continente, pero, cuando subía la marea, Mont Saint Michel quedaba totalmente rodeado de agua. La abadía había sido consagrada a San Miguel, el arcángel que guiaba las huestes celestiales en su lucha contra los señores del infierno.

Fue allí donde Mattius y Lucía sepultaron el cuerpo de Michel, y el Eje del Presente descansó sobre su pecho al igual que un día reposara sobre el del emperador Carlomagno.

Los dos juglares no se quedaron mucho tiempo en la abadía. Tenían muchos planes. Debían pasar por Santiago para informar a Martín de todo lo que había sucedido y confirmar a Lucía como miembro de pleno derecho del gremio. Tenían que recorrer todo el mundo para llevar el Mensaje, al igual que llevaban, como una carga de la que se habían hecho responsables, el Eje del Pasado y el Eje del Futuro, y unos conocimientos no reservados a los mortales.

Mattius escribió un poema épico. Pero, a diferencia de otros, en él no se relataban las hazañas de guerreros fuertes y valientes que luchaban en batallas, sino la historia de un muchacho que había dado la vida por la humanidad porque tenía fe en el hombre y el futuro.

La historia fue acogida de diversas formas. A unos no les gustó; otros les llamaron herejes, y a algunos les maravilló tanto que estuvieron dispuestos a seguir a los juglares para aprender más cosas. Pero Mattius y Lucía hicieron todo lo posible por evitar que la memoria de su amigo se convirtiera en un nuevo culto o religión: debía ser algo que se guardara en el corazón, y no en un templo de piedra.

Dicen que llegaron hasta la lejana China mucho antes que Marco Polo; pero nadie sabe con certeza dónde acabaron sus pasos ni dónde fueron a parar los ejes.

Se cuenta que el manuscrito de la *Chanson de Michel* quedó en la biblioteca de un monasterio, pero este ardió en llamas y la historia se perdió.

Quizá hoy, mil años después, quede en alguna parte alguien que la recuerde.

TE CUENTO QUE VÍCTOR GARCÍA...

... adora el mundo de la fantasía. Para él es un placer crear escenarios de mundos lejanos, pasados o simplemente inventados. La idea del fin del mundo es algo que aterroriza a cualquiera... Víctor, por si acaso, tiene en sus manos la llave de otros mundos por si un día tiene que hacer las maletas y dejar este que conocemos.

Víctor García nació en Barcelona. Estudió Arte Gráfico en la Escuela Joso. Trabaja como ilustrador para distintas editoriales y agencias de publicidad, así como en el diseño de videojuegos.

Si quieres saber más de Víctor García, visita su blog:

victorisdrawing.blogspot.com.es

TE CUENTO QUE LAURA GALLEGO...

... empezó a escribir su primer libro con once años y a los trece comprendió que quería ser escritora. Durante varios años escribió un libro cada verano, y siempre los mandaba a concursos que no ganaba... Hasta que logró el Premio El Barco de Vapor con *Finis Mundi*. Corría el año 1998 y Laura tenía veintiún años. Está claro que, aparte de escribir bien y tener mucha imaginación, Laura Gallego es perseverante, disciplinada y trabajadora. Y también muy metódica, así que para escribir tiene que estar en su cuarto, rodeada de las cosas que quiere y, a ser posible, de noche, para que nadie ni nada la moleste. En los ratos libres que le deja su vocación, lee todas las novelas de género fantástico que caen en sus manos, pues la lectura es una de sus pasiones.

Laura Gallego nació en Quart de Poblet (Valencia) en 1977. Estudió Filología Hispánica. En 1998 ganó el Premio El Barco de Vapor por *Finis Mundi*, y en 2002 volvió a ganarlo con *La leyenda del Rey Errante*. Varias de sus obras han sido traducidas a multitud de idiomas.

Si te ha gustado
este libro, visita

LITERATURA**SM**•COM

Allí encontrarás:

- Un montón de libros.
- Juegos, descargables y vídeos.
- Concursos, sorteos y propuestas de eventos.

¡Y mucho más!

Para padres y profesores

- Noticias de actualidad, redes sociales y suscripción al boletín.
- Propuestas de animación a la lectura.
- Fichas de recursos didácticos y actividades.